VOITURES
DE COURSE

VOITURES DE COURSE

LES MODÈLES QUI ONT FAIT L'HISTOIRE ET LA LÉGENDE

DAVID BURGESS-WISE

Libre Expression

DK

Titre original de cet ouvrage
THE ULTIMATE RACING CAR BOOK

Traduction-adaptation
Jean-Pierre Dauliac

ISBN : 2-89111-865-0
Dépôt légal : 4e trimestre 1999

Photocomposition : Nord Compo,
Villeneuve-d'Ascq
Imprimé à Hong Kong

Éditions Libre Expression
2016, rue Saint-Hubert
Montréal (Québec) H2L 3Z5

Libre Expression

Dans la même collection
LES BELLES VOITURES AMÉRICAINES
LES MOTOS
VOITURES CLASSIQUES

Sommaire

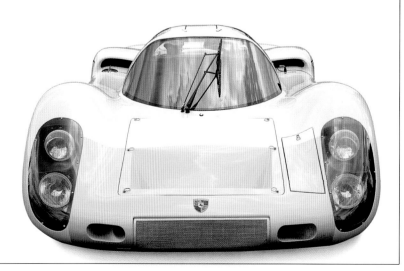

Préface

Lorsque David Burgess-Wise m'a montré une épreuve de cet ouvrage, j'ai été frappé par la diversité et la précision photographique des centaines d'images montrant ces mémorables voitures de course. Tout au long de ma carrière de pilote, j'ai eu la grande chance de pouvoir conduire quelques-uns des plus fabuleux modèles évoqués dans ces pages, dont la désormais légendaire Mercedes-Benz 300SLR. J'ai eu aussi l'occasion de lutter avec quelques très grands pilotes et de les compter parmi mes amis. Relire certains traits de leur carrière dans le chapitre consacré aux grandes figures de la course m'a rappelé beaucoup d'excellents souvenirs.

J'ai toujours la joie de pouvoir piloter quelques prodigieuses voitures avec lesquelles j'ai couru dans mes jeunes années, au cours d'épreuves rétrospectives qui sont devenues des classiques du calendrier sportif automobile. Nombreux sont les fanatiques de courses automobiles qui montrent un vif intérêt pour l'histoire de ce sport. Ce livre les passionnera, car il retrace parfaitement l'évolution de la course, chaque génération relevant de nouveaux défis techniques et faisant naître de nouveaux héros.

Je me souviens aussi de mon admiration, il y a plus de cinquante ans, pour l'ERA 2 litres de Raymond Mays, voiture déjà dépassée à ce moment-là, mais qui me faisait rêver. A mon tour, j'espère que les merveilleuses voitures décrites dans cet ouvrage sauront susciter une nouvelle génération de pilotes. La course automobile, même après un siècle, reste le plus passionnant des sports.

Avant-propos

LA COURSE AUTOMOBILE et son histoire me fascinent depuis toujours. A la fin des années 50, alors que le circuit permanent de Brooklands, premier autodrome du monde construit pour la compétition – qui faisait toujours partie des installations industrielles de la firme Vickers Aircraft –, était interdit au public, un de mes amis et moi avions garé sa Morris Bullnose 1926 à proximité de l'ancienne route d'accès au site et grimpé en courant jusqu'au virage relevé dit Members' Banking, alors envahi par la végétation sauvage. Le souffle coupé par notre ascension, nous restâmes là, immobiles, en haut de la courbe de béton, à contempler ce lieu désert et mythique.

Quelques années plus tard, jeune journaliste, j'eus l'occasion d'interviewer quelques-uns des pilotes qui avaient couru à Brooklands (et même un des participants à l'épreuve d'ouverture de 1907) et de voir en action des voitures de cet âge d'or lors des réunions du Vintage Sports Car Club. Plus tard encore, je participai modestement à l'établissement d'un musée permanent sur le site de Brooklands, dont la fascination n'a pas cessé, même envers ceux qui n'étaient pas nés lors de l'arrêt des compétitions sur cette piste.

La combinaison des talents et de l'audace des pilotes avec le génie mécanique des créateurs et metteurs au point des voitures a fait de la course automobile un cocktail irrésistible, et je considère comme une grande chance le fait d'avoir pu rencontrer au fil des années certains des plus grands noms de la course, dont Juan Manuel Fangio lui-même, peut-être le plus grand de tous.

J'eus aussi la chance de rouler, comme pilote ou passager, dans quelques-unes de ces machines de légende qui peuplent l'histoire de la course, et mon admiration pour les pilotes et les ingénieurs en est encore sortie renforcée. Je souhaite seulement, à travers ces pages, faire partager mon enthousiasme pour ce sport fabuleux et ces magnifiques machines qu'il a fait naître.

DAVID BURGESS-WISE

HISTOIRE DE LA COURSE AUTOMOBILE

1

La compétition a commencé quand un homme seul à bord d'une voiture sans chevaux a consulté son chronomètre, et elle est devenue ce sport international qui n'a jamais cessé de fasciner les foules. Depuis les monstres grondants courant de ville à ville aux temps héroïques de l'automobile jusqu'aux projectiles raffinés des Grands Prix modernes, le lien historique est continu, qui associe gloire et tragédie, talent et chance, haute technologie et art du metteur au point. L'histoire de la course automobile est aussi captivante que les meilleurs romans : combien de fois David n'a-t-il pas triomphé de Goliath grâce à sa seule habileté et à la parfaite préparation des voitures ? Après un siècle de compétition, le sport automobile est plus populaire que jamais, et son audience mondiale atteint des dizaines de millions d'individus. Ce chapitre évoque quelques repères de son histoire et montre la passion que l'homme met à perfectionner ses concepts et ses techniques pour aller toujours plus vite.

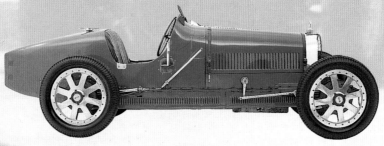

HISTOIRE DE LA COURSE AUTOMOBILE

La course, dit-on, améliore la race des routières. On a le droit de le croire ou d'en douter. Mais il est sûr que la course automobile a séduit et passionné des millions d'individus. Elle soutient une industrie dynamique et très avancée techniquement. Elle a, sans aucun doute, accéléré le développement de la voiture automobile, qui a davantage évolué en cent ans que le cheval depuis des millénaires.

La première voiture mécanique de compétition, un petit tricycle à vapeur construit par la firme parisienne De Dion, Bouton & Trépardoux en 1884-1885, a peu de choses en commun avec nos modernes voitures de course. A la place du capot, elle porte une chaudière cylindrique verticale. Le tableau de bord se limite à quelques manomètres et niveaux à regard sur la chaudière, et elle n'a pas de volant, mais une tige franche oblique sur le côté de la caisse, qui commande la direction. Le moteur à vapeur à deux cylindres lui aurait permis d'atteindre, dit-on, 56 km/h, mais 30 km/h semble plus réaliste, ce qui reste supérieur à tout autre moyen de transport, excepté le train, dans les années 1880. Mais Georges Bouton, seul engagé dans la première course d'avril 1887, ne se bat que contre le chronomètre.

La compétition débute réellement dans les années 1890, au moment où apparaît le moteur à essence de pétrole qui concurrence la vapeur. La première épreuve, en fait un concours-démonstration, a lieu en 1894 sur les 128 kilomètres qui séparent Paris de Rouen. C'est davantage un essai comparatif qu'une course, car le but avoué consiste à déterminer le véhicule qui répond le mieux aux demandes du règlement « d'être sans danger, facile à manier et peu coûteux ». Le besoin d'une compétition publique entre les voitures sans chevaux est prouvé par les 102 engagements des prétendants à la victoire pressés de démontrer la supériorité de leur système de propulsion. Après des éliminatoires,

Le rapide break De Dion-Bouton (n° 3 dans Paris-Bordeaux 1895) à moteur compound à vapeur adopte déjà deux rapports par train épicycloïdal et un pont De Dion à cardans transversaux.

21 concurrents sont admis au départ de la randonnée suivie par le reporter envoyé par James Gordon Bennett, propriétaire du *New York Herald*. Si le Paris-Rouen prouve quelque chose, c'est la supériorité du moteur à essence en fonction des critères retenus, car les voitures à vapeur, en dépit du fait que la De Dion arrive première, sont classées après. Lorsqu'une vraie course de vitesse est organisée un an plus tard, de Paris à Bordeaux et retour, les voitures à essence triomphent. Le vainqueur, Émile Levassor, pilote seul sur les 1 178 kilomètres du parcours, qu'il couvre en 48 heures et 48 minutes, n'ayant pris qu'un seul bol de bouillon et un verre de vin à la mi-course.

La première course sur le sol américain a lieu la même année. Organisée par le journal *Chicago Times-Herald*, elle attire près de 100 concurrents, mais 2 seulement sont prêts au jour dit. L'épreuve, prévue sur 160 kilomètres, est alors retardée de 26 jours, dans l'espoir que de nouvelles voitures se présenteront et, finalement, 6 véhicules prennent le départ. S'ils sont tous de construction américaine, ce sont en fait des Benz plus ou moins modifiées. Malgré de terribles conditions climatiques, une Duryea, pilotée par J. Frank Duryea, et une Benz, conduite par Oscar Mueller finissent dans la journée cette course de 87 kilomètres. Ce sont justement les deux voitures prêtes à la première date. La Duryea sera la première automobile de production américaine.

LA COURSE S'IMPOSE

La compétition connaît alors un rapide développement, et la France devient le théâtre des premières grandes épreuves. Dès 1897, la presse se fait l'écho des plaintes de l'amateur qui « avec son auto de tourisme de 3 ou 4,5 chevaux n'a plus aucune chance face au constructeur désormais capable de sortir un vrai monstre de course de 8 chevaux ». En 1899, la course devient mieux organisée. Le premier Tour de France automobile disputé sur 2 500 kilomètres est annoncé, et les premiers signaux par drapeaux sont codifiés. Les voitures de course commencent à se différencier notablement des modèles de tourisme, et les progrès sont si rapides qu'une voiture se démode en quelques mois. Alors que les modèles de course avaient 6 ou 8 chevaux de puissance réelle en 1898, on atteint couramment 16 et 20 chevaux en 1899. L'empattement s'allonge et le centre de gravité s'abaisse pour mieux stabiliser les voitures. Les roues, qui, sur les premières automobiles, étaient plus petites à l'avant qu'à l'arrière, comme sur les voitures hippomobiles, sont d'un diamètre égal.

En 1901, la firme allemande Daimler crée la surprise avec son nouveau modèle Mercedes, qui réunit pour la première fois les techniques les plus modernes du moment : châssis en tôle d'acier emboutie, radiateur à nid d'abeilles, soupapes d'admission commandées positivement et changement de vitesse à grille en H. Elle s'impose à la Semaine de Nice, au mois de mars 1901, et son architecture fait rapidement école pour les voitures rapides. Les solutions à l'origine de cette suprématie sont tout aussi rapidement adoptées en production.

La forme future des courses automobiles est établie par la série des épreuves

▲ **VILLE À VILLE – DERNIÈRE**

Une 18 HP De Dion devant une Mors 70 HP « dauphin » à l'arrivée à Bordeaux, première et dernière étape de la course Paris-Madrid de 1903. Mors rivalise avec Panhard dans les grandes courses de ville à ville, que les accidents de 1903 condamneront.

de la Coupe Gordon-Bennett, qui débute en 1900. Ces courses introduisent des règlements internationaux détaillés qui concernent la construction des voitures de compétition et l'organisation des épreuves. En 1903, les accidents de la course Paris-Madrid font interdire les épreuves de ville à ville sur route ouverte. Désormais, elles auront lieu sur circuit fermé et gardé. Les voitures construites pour la Coupe Gordon-Bennett sont à

▶ **VAILLANTE REMPLAÇANTE**

C'est une Mercedes 60 HP de ce type (tourisme) qui remporte la Coupe Gordon-Bennett 1903, pilotée par Camille Jenatzy.

l'apogée d'une période où la seule solution pour obtenir davantage de puissance consiste à augmenter la cylindrée des moteurs. Par exemple, la Star de 1905 a un moteur de 10,2 litres et atteint 160 km/h. Il faut de la concentration et des colosses pour maîtriser de telles machines pendant des heures sur des routes non stabilisées et pleines de poussière.

Le règlement de la Coupe Gordon-Bennett limite les engagements à trois voitures par pays. Lorsque la France, après deux victoires consécutives, s'octroie définitivement la Coupe en 1905, ses responsables annoncent leur intention d'organiser un nouveau type de course, le Grand Prix, qui donnerait à tous les constructeurs intéressés par la course des chances égales. Du fait que l'industrie française est alors dominante sur le plan mondial, on imagine aussitôt que ses constructeurs nationaux gagneront dans un fauteuil. Mais le plan se retourne contre ses promoteurs : si une Renault remporte le premier Grand Prix de l'ACF en 1906, la victoire revient à l'Italie en 1907, et à l'Allemagne en 1908. L'industrie française décide alors de se retirer de la compétition internationale sous prétexte que « la construction et la mise au point de machines spéciales de ce type entraînent de grosses dépenses en temps et en argent et [que] les constructeurs sont naturellement enclins à ne plus accepter la désorganisation de leurs activités qui en résulte ».

Mais les industriels constatent rapidement que leur refus de la course entraîne un certain désintérêt du public envers l'automobile.

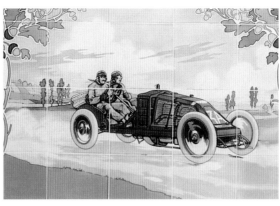

▲ **DANSE HONGROISE**

Ce panneau de céramique rappelle la victoire du pilote hongrois Ferenc Szisz et de sa Renault dans le premier Grand Prix de l'ACF de 1906.

▼ **PREMIÈRE MONOPLACE**

Ray Harroun gagne les premiers 500 Miles d'Indianapolis en 1911, avec cette Marmon Wasp (la Guêpe) 7,8 litres, première monoplace du monde.

En 1912, ils doivent ressusciter les Grands Prix, mais si les moteurs de la plupart des voitures sont toujours de très forte cylindrée, le Grand Prix sert de cadre à la Coupe de l'Auto, réservée aux voitures de 3 litres de cylindrée maximale. Et si les trois premières voitures sont encore des « monstres », ou presque, avec une Peugeot de 7,6 litres et deux Fiat de 14,1 litres, elles sont suivies de près par trois Sunbeam de 3 litres. La cylindrée compte encore pour beaucoup, certes, mais à un degré moindre, car le moteur à deux arbres à cames en tête de la Peugeot gagnante a ouvert la route à l'augmentation du rendement des moteurs.

La rapidité des changements de formule montre simplement que les voitures de Grand Prix évoluent très vite. Mais les voitures européennes, même dépassées, peuvent encore courir en Amérique. En 1913, le Français Jules Goux gagne les 500 Miles d'Indianapolis avec sa Peugeot GP 1912, « dopé » par le champagne qu'il boit avec son mécanicien à chacun de ses six ravitaillements. Un an après, son compatriote René Thomas s'impose avec sa Delage Grand Prix, devant une Peugeot, une autre Delage et une deuxième Peugeot de 3 litres seulement. Le premier Américain, Barney Oldfield, sur une Stutz, ne termine que cinquième. Si la course continue aux États-Unis jusqu'en 1917, alors que l'Europe est en guerre, aucun Américain ne gagne à Indianapolis avant 1920, lorsque Gaston Chevrolet l'emporte sur une Monroe-Frontenac de 3 litres à 2 ACT, copie très proche des Peugeot. Mais il est un domaine où les Américains sont les plus forts, celui du

La Delage Grand Prix Type Y de 6,2 litres (ici au Mans, en 1913) est l'une des voitures les plus compétitives aux États-Unis dans les années 1900-1910.

« sponsoring », qui s'affiche sur les pilotes et les voitures dès les années 20.

LES ANNÉES 20

Dans les années 20, la course présente des caractéristiques diverses selon les pays. La France, qui avait organisé la première épreuve appelée simplement « Grand Prix », cultive la course sur de longs circuits tracés sur les routes publiques. En Grande-Bretagne, où toute forme d'épreuve sur routes publiques est interdite par la loi, la course automobile triomphe à Brooklands, premier autodrome créé dans le monde. En Amérique, à l'exception toutefois du circuit d'Indianapolis construit en 1909, on utilise des anneaux ovales à piste en cendrée de 1 600 et 800 mètres, établis sur les champs de foire de la plupart des villes moyennes et grandes. Créées pour accueillir les courses de chevaux, ces pistes sont encore beaucoup plus intéressantes lorsque les automobiles les empruntent. Il existe aussi des anneaux circulaires ou ovales à virages relevés construits en planches, où se disputent les courses les plus rapides du monde. Leur durée de vie est cependant brève, en raison de l'usure et des intempéries.

Défiant enfin les grands constructeurs européens sur leur sol, l'Amérique fait une arrivée en fanfare en signant sa première victoire dans une grande épreuve européenne lorsque la Duesenberg huit cylindres en ligne à 1 ACT de Jimmy Murphy remporte le Grand Prix de l'ACF 1921. Comme la luxueuse Duesenberg routière qui vient d'être lancée, la voiture de Grand Prix est équipée de freins hydrauliques sur les quatre roues. Dotée d'un moteur Miller, la Duesenberg de Murphy remporte les 500 Miles d'Indianapolis de 1922.

Duesenberg a alors une certaine avance sur les autres constructeurs américains, après avoir construit pendant la guerre un moteur d'avion à seize cylindres de conception Bugatti. En conséquence, les courses sur cendrée sont dominées par les voitures à moteur Duesenberg. La compétition conduit Duesenberg à mettre au point des coussinets minces, qui évacuent mieux la chaleur que les anciens coussinets épais au métal blanc et ne « coulent » plus en course. Les grands pilotes de Duesenberg sont Tommy Milton, vainqueur en 1919 de l'Elgin Road Race, Jimmy Murphy, Ralph De Palma et Pete De Paolo, premier pilote qui boucle Indianapolis à plus de 160 km/h de moyenne et qui remporte le championnat américain en 1925.

Les années 20 sont une période de grands progrès techniques. Par exemple, en 1923, l'aérodynamicien allemand Edmund Rumpler, concepteur du redoutable monoplan Taube du début de la guerre, crée pour Benz une voiture de Grand Prix dotée de solutions en avance de plusieurs décennies : carrosserie en goutte d'eau, suspension à demi-essieux arrière oscillants, quatre freins accolés au pont à l'arrière et moteur six cylindres arrière central de 2 litres à 2 ACT. Cette voiture dite « Tropfenwagen » (Goutte d'eau) a beau être une merveille technologique, elle ne court qu'une fois, au premier Grand Prix d'Europe 1923, à Monza, où les deux Benz engagées sont quatrième et cinquième.

▶ **VISION D'AVENIR**

La voiture de Gabriel Voisin de 1923 peut être considérée comme la première monocoque engagée en Grand Prix.

Le grand constructeur d'avions français Gabriel Voisin produit une étonnante voiture « laboratoire » pour le Grand Prix de l'ACF à Tours, en 1923. Elle est dotée de la première caisse monocoque aérodynamique et son moteur est un six-cylindres de 2 litres sans soupapes semblable à celui qui équipe les modèles de tourisme de la marque. La « Laboratoire » finit à une très honorable cinquième place, malgré une très forte opposition, mais à 75 minutes du premier ! Pourtant, elle a très peu d'influence sur la conception des machines de course en général. Autre voiture de course qui aurait dû avoir plus d'impact, l'Alvis de 1925 fait ses débuts à la course de côte de Kop, dans le Buckinghamshire, en mars. Non seulement c'est la première voiture du monde avec un essieu avant moteur type De Dion, pour une meilleure tenue de route, mais elle possède aussi un châssis semi-mono-

coque en Duralumin. Comme beaucoup d'autres voitures de course de son époque, elle est suralimentée.

Les premiers essais de suralimentation remontent à 1907, quand Lee Sherman Chadwick, en Pennsylvanie, monte un compresseur entraîné par courroie sur une version course de sa luxueuse Great Chadwick Six. Mercedes, qui a surcomprimé ses moteurs d'avion de la Grande Guerre pour améliorer leur performance en altitude, produit des voitures à compresseur dès le début des années 20. Mais c'est Fiat qui installe un compresseur pour la première fois sur une voiture de Grand Prix. Les essais débutent en 1922, et la nouvelle huit-cylindres en ligne de 2 litres de 1923 apparaît initialement avec un compresseur à palette monté sur l'avant du vilebrequin. Mais, lors de la première

▲ **PROMOTION**

Cette affiche de publicité pour la Szawe 10/32 de 1921 montre comment la course sert à promouvoir les voitures de production.

épreuve, les voitures doivent abandonner en raison d'un problème de compresseur, et une refonte hâtive fait adopter des appareils type Roots. La fiabilité et la puissance augmentent spectaculairement, et une Fiat suralimentée remporte le Grand Prix d'Europe à Monza en 1923, apportant ainsi à Fiat l'honneur de s'octroyer la première victoire en Grand Prix et dans son pays natal d'une voiture à compresseur.

Le plus remarquable exemple de voiture de Grand Prix à compresseur des années 20 est la Delage 1500 huit cylindres en ligne. Elle est créée en 1926 pour la première saison disputée selon la formule « 1 500 cm³ », mais une mauvaise conception du système d'échappement brûle les pieds des pilotes. Complètement révisées pour la saison 1927, avec un échappement transféré du côté gauche et un gros compresseur au lieu de deux l'année précédente, les Delage 1500 remportent les épreuves majeures de l'année et l'une d'entre elles gagne encore dans sa formule dix ans après.

Un autre constructeur français, Ettore Bugatti, produit la plus célèbre voiture de course de la décennie, la Type 35, qui débute à Lyon au Grand Prix de l'ACF, en 1924. Elle cause une petite révolution lors des arrêts au stand, avec ses roues en aluminium coulé qui intègrent les tambours de frein, permettant ainsi lors des changements de roue d'inspecter les garnitures de frein et, au besoin, de les remplacer en même temps que les pneus. La Bugatti Type 35 est une des premières voitures de Grand Prix vendue toute prête à courir par l'usine et sur catalogue. Elle est proposée en versions avec ou sans compresseur, en 2 litres ou 2,3 litres,

▲ **MAÎTRISE ABSOLUE**

Les Miller dominent la scène sportive américaine dans les années 20. Des pistes en bois aux 500 Miles d'Indianapolis, la prépondérance des solutions de Harry Miller est incontestable.

et remporte, parfois aux mains d'amateurs, des centaines d'épreuves dans les années 20. Dotée de brillantes accélérations et d'une maniabilité hors pair, la Bugatti Type 35 a un châssis à longerons en U, mais aux dimensions évolutives en fonction des contraintes qu'il doit subir. La caisse de la Type 35 vue en plan horizontal révèle une silhouette proche de la goutte d'eau, et ses lignes en font une des plus belles machines de course de tous les temps.

L'Amérique possède en Harry Miller un rival de Bugatti. Autre ingénieur-artiste, il n'a jamais fait d'études théoriques et proclame que ses brillantes solutions lui viennent par vision. « Quelqu'un me dicte ce qu'il faut faire », répète-t-il souvent. Miller est le maître des constructeurs américains de voitures de course entre les deux guerres. Assisté par son dessinateur Leo Goossen et son constructeur Fred Offenhauser, il crée avec méticulosité des moteurs à 2 ACT qui gagnent course sur course, surtout à Indianapolis. Sa période de gloire culmine au début des années 30, avec ses racers à moteur V16 et deux voitures à quatre roues motrices. Si son souci de la perfection mécanique le conduit à la faillite en 1933, ses conceptions survivent dans l'immortel moteur Offenhauser, dit « Offy », qui domine les courses américaines pendant des dizaines d'années.

◄ **CHEF-D'ŒUVRE GÉNIAL**

Cette Miller 91 1 500 cm³ à huit cylindres en ligne à compresseur date de 1926. Avec une vitesse maximale de 280 km/h, c'est la voiture à battre.

SUPRÉMATIE GERMANIQUE

Les règlements internationaux des Grands Prix changent encore une fois en faveur d'une limite de poids, et le nouveau chancelier allemand récemment élu, Adolf Hitler, entend utiliser la nouvelle formule comme moyen de propagande de la technique et du régime allemands. Il offre une substantielle prime annuelle d'un demi-million de Reichsmarks aux firmes qui produiront des voitures capables de vaincre sur les circuits internationaux. Mercedes et Auto Union profiteront sans tarder de cette manne qui permettra aux voitures allemandes de Grand Prix de dominer dans la discipline jusqu'à la veille de la guerre, en 1939.

Fait important, le programme sportif de l'Allemagne va faire naître la première voiture à moteur arrière de Grand Prix réussie sous la forme de l'Auto Union P-Wagen de Ferdinand Porsche, propulsée par un moteur V16 de 4,4 litres monté en position centrale arrière et accouplé à une boîte à cinq rapports. Elle débute par quelques records de vitesse établis sur le circuit berlinois de l'AVUS, puis remporte deux Grands Prix la première saison, trois la saison suivante. Elle connaît encore quelques succès retentissants en 1936 et 1937, avec des moteurs différents. Auto Union prétend que les 2,5 millions de Reichsmarks

▲ **VITRINE TECHNOLOGIQUE**

Le circuit du Nürburgring est le champ clos des surpuissantes voitures allemandes des années 30, telles que les Mercedes W125 « Flèches d'argent » et l'Auto Union P-Wagen du Dr Porsche.

dépensés annuellement pour la course (somme équivalant à 1 p. cent de son chiffre d'affaires) ont contribué à établir la réputation du groupe comme constructeur d'automobiles de qualité. Un rapport du gouvernement britannique affirme que « le prestige de la technique allemande a été rehaussé partout où les performances supérieures de ces voitures ont été constatées ».

Le retour de la paix après 1945 libère le besoin de compétition automobile. Si la plupart des circuits d'Europe sont provisoirement ou définitivement hors service en raison de la guerre (ils ont souvent servi de parc de stockage de matériel), la détermination des fanatiques de la course à revoir des compétitions parvient à surmonter les obstacles pour trouver de nouveaux circuits, des voitures et du carburant. Quatre

▲ **RÊVE D'ARGENT**

Cette Mercedes W125 de 5,7 litres de 1937 est un des fleurons du programme sportif soutenu par le gouvernement allemand.

mois seulement après la fin de la guerre en Europe, la France organise la première course sur un circuit tracé aux portes de Paris, dans le bois de Boulogne, en rassemblant des voitures disparates cachées pendant les années d'occupation. Les Grands Prix sont relancés deux ans après.

Au cours de cette période qui suit immédiatement la fin de la Seconde Guerre mondiale, aucune voiture vraiment nouvelle n'apparaît sur les circuits, mais l'organisme international de contrôle du sport, l'AIACR, qui avait édicté les règlements avant la guerre, change de nom sous l'impulsion de la France et devient la Fédération internationale de l'automobile (FIA), qui crée le plus haut niveau de la compétition automobile, la Formule 1, applicable à partir de 1947.

L'APRÈS-GUERRE

L'Amérique avait agi de son côté au cours de la période de crise des années 30, en tentant d'attirer les grands constructeurs vers la course avec une formule admettant les « moteurs de série », philosophie exactement à l'opposé des gros budgets et des grosses puissances des Allemands. Cette formule à petit budget permet aux candidats concurrents d'acquérir une voiture susceptible de participer non seulement aux 500 Miles d'Indianapolis, mais aussi de courir toute une saison sur les pistes en cendrée (dirt-track) du pays avec des coûts d'entretien raisonnables. Parmi les constructeurs séduits par la formule, Studebaker construit en 1932 cinq machines de course sur la base du huit-cylindres de 5,5 litres du modèle President. Chrysler, Hudson et Ford entrent aussi en lice, Ford avec des tractions avant à moteur V8 construites par Harry Miller en 1935. De 1939 à 1941, la course américaine est dominée par les voitures de dirt-track à moteur Offy, mais la voiture la plus intéressante des 500 Miles d'Indianapolis est la « Boyle Special » Maserati de Wilbur Shaw, qui gagne à Indy en 1939 et 1940.

Après la Seconde Guerre mondiale, les voitures de compétition américaines sont très différentes du matériel disponible en Europe. Elles sont pour la plupart construites à partir de châssis et de moteurs très semblables, si bien que les arrivées sont beaucoup plus serrées qu'en Europe. Lorsque le Vieux Continent adopte la formule « 1,5 litre à compresseur ou 4,5 litres sans », l'Amérique conserve l'ancienne formule internationale « 3 litres à compresseur ou 4,5 sans ». Mais les limitations de poids d'avant guerre sont supprimées, pour encourager l'engagement à Indianapolis des voitures légères créées pour le dirt-track.

Tout en maintenant l'ancien règlement, les Américains adoptent une attitude assez permissive vis-à-vis de la compétition automobile. Une brassée d'innovations technologiques sont introduites par les ingénieurs américains, dont la majeure partie est issue des expériences glanées dans la construction aéronautique nationale. Offenhauser, par exemple, a fabriqué pendant la guerre pour plus de 200 000 dollars par an de pièces de haute précision pour le chasseur Lightning et le quadrimoteur Constellation de Lockheed. Ainsi la technologie aéronautique transmet-elle à la course automobile des concepts comme le châssis en treillis tubulaire, les turbocompresseurs, les freins à disque et l'injection d'essence. Le supercarburant Avgas à haut indice d'octane est un atout exceptionnel pour les voitures de course américaines « Blue Crown Special » à moteur Offy, construites par Lou Moore et si souvent victorieuses grâce à la traction avant, à leur faible maître couple et à l'abaissement de leur centre de gravité. L'Avgas fait consommer trois fois moins de carburant que le mélange à base d'alcool des marques rivales et permet aux Blue Crown de ne ravitailler qu'une fois sur les 500 miles.

Les ingénieurs américains ont établi que le quatre-cylindres en ligne représente la configuration optimale pour un moteur de course, mais l'opinion des Européens diverge sur ce point. Ferrari débute en course comme constructeur avec le V12 de Gioacchino Colombo, avant de passer au quatre-cylindres, lorsque les voitures

▲ LE RETOUR D'ALFA ROMEO

La huit-cylindres en ligne Tipo 158 Alfetta, vue ici à Monza en 1948, illustre le retour à la compétition d'Alfa Romeo après la Seconde Guerre mondiale.

répondant à la Formule 1 sont si peu nombreuses que les Grands Prix doivent être courus selon la Formule 2. Alfa Romeo revient en compétition avec une version modernisée de la Tipo 158 à huit cylindres en ligne d'avant guerre, également dessinée par Colombo.

Les années 50 connaissent des changements radicaux aux États-Unis. Frank Kurtis construit en 1952 une voiture de course pour Indy, dotée d'un gros moteur Diesel Cummins à turbocompresseur, qu'il monte couché sur le côté pour en réduire la hauteur. Il choisit un châssis en treillis tubulaire habillé d'une carrosserie en aluminium très compacte et assoit le pilote très bas à côté de l'arbre de transmission décalé. Ce « roadster de piste » devient le modèle des voitures d'Indianapolis jusque dans les années 60. Mais le moteur Offy continue de dominer la spécialité en équipant presque toutes les voitures de course américaines dans les années 50 et même le début des années 60.

En Grande-Bretagne, les petites marques Connaught et Vanwall sont les plus performantes en Grand Prix dans les années 50. Connaught signe même la première victoire d'une voiture et d'un pilote britanniques dans un Grand Prix

depuis les années 20 à Syracuse, en Sicile, en 1955. Vanwall place la Grande-Bretagne parmi les concurrents les plus sérieux en Formule 1. Leur ingénieux moteur à 2 ACT comporte un bas-moteur conçu par Rolls-Royce et une culasse inspirée de celle des motos Norton, y compris les ressorts de soupape en épingle. Mais le très attendu moteur V16 BRM 1,5 litre à compresseur à deux étages est une déception, et il ne remporte que des épreuves mineures.

Le lancement en 1948 de la Jaguar XK120 dotée d'un excellent six-cylindres à 2 ACT précède une période de gloire pour l'endurance britannique. Les chances de l'Angleterre avaient été minimales

▼ LE TEMPS DU JAGUAR

Les 24 Heures du Mans 1953 voient le triomphe de Jaguar, dont les Type C prennent les deux premières places.

▲ RÉUSSITE BRITANNIQUE

La firme anglaise Vanwall gagne le championnat du monde des constructeurs en 1958, avec cette voiture à moteur quatre cylindres de 2,5 litres à 2 ACT.

après que les Bentley eurent remporté cinq des huit premières éditions des 24 Heures du Mans entre 1923 et 1930. Une version spéciale de compétition de la XK120, la Type C à châssis tubulaire (ou XK120C), apparaît en 1951 et remporte les 24 Heures du Mans dès sa première sortie, en partie grâce à ses freins Lockheed à tambours perfectionnés.

Lors de la réunion de Pâques 1952 à Goodwood, Stirling Moss pilote la voiture gagnante au Mans en 1951, XKC003, mais équipée de freins à disque type aviation. Au mois de juin, Moss signe la première victoire d'une voiture à freins à disque au volant de sa sister-car, XKC005, au Grand Prix de Reims formule Sport (358 kilomètres). Les Type C à freins à disque sont première et deuxième aux 24 Heures du Mans 1953. L'aérodynamique monocoque Type D prend brillamment la suite en signant trois victoires successives au Mans, couronnées par les quatre premières places et la sixième en 1957.

Après 1945, l'Allemagne ne peut participer aux championnats mondiaux pendant plusieurs années, mais, en 1952, Mercedes dévoile le coupé de compétition 300SL, avec ses originales portières en aile de mouette ou « papillon », choisies pour résoudre un problème d'accès à bord posé par l'encombrement du léger, mais robuste, treillis tubulaire latéral faisant fonction de longeron de châssis. Là encore, c'est l'expérience recueillie pendant la guerre avec les moteurs d'avion qui mène à l'adoption de l'injection d'essence, mise au point dans l'intersaison 1953-1954 et qui apporte un gain de 14 chevaux par rapport aux carburateurs. L'injection d'essence, adoptée définitivement pour la saison 1954, est utilisée sur la 300SLR sport-compétition à soupapes desmodromiques et la W196 de Formule 1, qui marque le retour des Flèches d'argent en Grand Prix. Sous sa forme initiale, la W196 est habillée d'une carrosserie enveloppante profilée qui affecte le contrôle de la voiture, et celle-ci doit être transformée pour 1955, avec une carrosserie laissant les roues découvertes.

L'architecture classique des voitures de course à moteur avant des années 50 respecte une configuration qui remonte aux années 1890 sur les Panhard et Levassor. Curieusement, l'évolution va naître dans le faubourg londonien de Surbiton, Surrey, où la société Cooper construit de petites voitures de course de 500 cm³ propulsées par des moteurs de motocyclette. Ces engins dominent en Formule 3 à la fin des années 40 et au début des années 50. Le moteur, positionné derrière le pilote, entraîne les roues au moyen d'une chaîne. Cooper construit aussi des voitures de sport et de

▲ **COUP D'ESSAI**

Le pilote Karl Kling et son copilote Klenk s'activent à un point d'assistance sur leur Mercedes 300SL six cylindres 3 litres, avant de remporter la Carrera Panamericana 1952.

course à moteur avant, mais il utilise son efficace configuration à moteur arrière sur les modèles de sport à moteur Coventry-Climax de 1955, tandis qu'un dérivé monoplace fournit à l'Australien Jack Brabham son ticket d'entrée en Grand Prix.

La saison 1958 des Grands Prix commence par un choc pour la cohorte des « moteurs avant », quand la Cooper-Climax à moteur arrière de Stirling Moss bat les Ferrari de Luigi Musso et de Mike Hawthorn au Grand Prix d'Argentine. Très vite, la solution à moteur arrière est la seule voie à suivre pour remporter des Grands Prix. Colin Chapman conserve le moteur avant sur ses Lotus monoplaces, qui sont aussi bonnes au niveau du maître couple que les Cooper, mais moins fiables.

LA RÉVOLUTION DU MOTEUR ARRIÈRE

Chapman ne tarde pas à se convertir avec enthousiasme au moteur arrière. Depuis l'époque de la première Lotus spéciale de trial sur base Austin Seven, avec sa carrosserie en contreplaqué à revêtement travaillant et son essieu avant coupé en deux parties articulées, le nom de Lotus a été synonyme d'innovation et associé au cerveau fertile de son promoteur-fondateur. Ingénieur aéronautique de formation, Chapman exploite aussi les qualités d'aérodynamicien de l'ingénieur Frank Costin. La Lotus 25 1962 est la première voiture victorieuse d'un Grand Prix dotée d'une structure monocoque à revêtement travaillant, qui contient les réservoirs supplémentaires de carburant nécessités par la consommation du moteur V8 Coventry-Climax, le pilote étant en position semi-couchée afin de réduire la surface frontale de la voiture à 0,75 m².

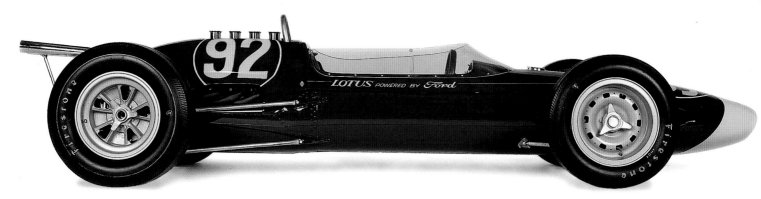

Comme dans la plupart des cas quand il s'agit du moteur arrière, la première salve est tirée à Indianapolis par Cooper. La vieille piste en briques avait déjà vu des moteurs arrière, surtout avant la guerre, avec les Gulf-Miller, mais les performances pour le moins décevantes de ces bolides à quatre roues motrices n'avaient guère encouragé les autres concurrents à adopter cette solution. Jack Brabham pilote donc une Cooper-Climax 2,7 litres à Indianapolis en 1961, pour terminer neuvième d'un peloton de 33 voitures, toutes dotées d'un moteur de 4,2 litres. Le préparateur de hot-rods californien Michael Thompson, qui constate alors que cette vision d'avenir fonctionne aussi bien sur l'ovale d'Indianapolis que sur les circuits plus tourmentés d'Europe, construit une voiture américaine à moteur arrière Buick V8 en vue des 500 Miles de 1962.

De son côté, l'Anglais Colin Chapman vient à Indianapolis en 1962, pour y rencontrer un groupe de directeurs de l'état-major de Ford. Chapman repart avec un contrat de fabrication de trois voitures à moteur arrière pour les 500 Miles 1963. La Lotus 29 qui en résulte – développement à grand empattement de la Lotus 25 de Grand Prix, équipée d'un moteur Ford V8 4,2 litres à culbuteurs issu de la série – est pilotée à Indy par Jim Clark et termine en deuxième place. Selon beaucoup d'observateurs, Clark aurait dû remporter l'épreuve, car le vainqueur, l'Américain Parnelli Jones, dont la Watson perd de l'huile sur la piste, aurait dû être arrêté à son stand.

▲ OBJECTIF 500

Cette Lotus 29 représente la première tentative de la part de Colin Chapman de développer une voiture capable de gagner à Indianapolis. Sur la base de la Lotus 25 de Grand Prix, la Lotus 29 termine deuxième à Indianapolis en 1963.

Les choses sont claires et nettes en 1965, quand la Lotus 38 de Clark, conçue par Len Terry avec une monocoque et un moteur décalé Ford V8 4,2 litres à injection, franchit la ligne à une moyenne supérieure, pour la première fois, à 240 km/h (150 mph). Les jours du moteur avant à Indianapolis sont terminés, et, en 1966, une autre victoire britannique est signée par Graham Hill au volant d'une « American Red Ball Special » à moteur Ford, en réalité une Lola construite à Slough, à l'ouest de Londres.

La Lola GT de sport-compétition est à la base de l'une des voitures d'endurance les plus réussies des années 60, la Ford GT40, dont les origines sont en fait à chercher dans la tentative infructueuse de Ford de racheter Ferrari en 1963. L'affaire échoue à la toute dernière minute, du fait d'Enzo Ferrari, alarmé par les incessantes investigations des comptables de Ford. Henry Ford II crée alors la division Ford Advanced Vehicles à Slough, afin de développer une voiture de

◄ REVE AMERICAIN

Ce programme du Mans de 1963 évoque les nouvelles Ferrari SP à moteur arrière engagées en endurance. En 1966, Ford domine au Mans avec ses GT40 Mark II, qui terminent aux trois premières places.

sport de compétition susceptible de gagner au Mans en s'attaquant au monopole de Ferrari.

La GT40 de 4,7 litres (ainsi désignée à cause de sa hauteur de 40 pouces, soit 1,016 m) se révèle comme le coupé compétition le plus rapide du monde et signe un résultat spectaculaire en prenant les trois premières places au Mans en 1966, lorsque trois Mk II franchissent la ligne d'arrivée ensemble. En 1967, Ford signe une deuxième victoire avec la nouvelle GT Mk IV, dont la coque en nid d'abeilles d'alliage léger collé abrite un moteur de 7 litres et 500 chevaux. Le programme sportif de Ford est alors continué, en 1968 et 1969, par JW Automotive de John Wyer, dont la GT40 de 4,7 litres n° 1075 gagne au Mans deux fois de suite.

TECHNOLOGIE MODERNE

Les années 60 sont aussi une époque où Ford joue un rôle déterminant en Formule 1, après que le principal fournisseur de moteurs de la spécialité, Coventry Climax, eut calculé que le coût de développement d'un nouveau moteur répondant à la nouvelle formule 3 litres était prohibitif. En 1965, Colin Chapman utilise ses relations chez Ford Angleterre pour convaincre le groupe de débloquer les 100 000 livres nécessaires à l'étude d'un nouveau moteur Cosworth V8 de Grand Prix. Ce nouveau moteur serait réservé à Lotus pour la première saison avant d'être proposé aux autres écuries. Le moteur DFV (Double Four Valve) est installé dans la nouvelle Lotus 49 de Formule 1, qui remporte sa première course, le Grand Prix de Hollande 1967, pilotée par Jim Clark. Ce succès est le premier d'une longue liste encore inégalée de 155 victoires en Formule 1 au crédit du moteur Ford Cosworth DFV.

Chapman signe une autre première lorsqu'il dévoile la Lotus 49B 1968, une version modifiée de la 49, que Graham Hill mène à la victoire dans le championnat du monde de cette année-là. Au lieu de porter la livrée vert Lotus traditionnelle, la machine arbore les couleurs du Gold Leaf Team Lotus. Depuis les années 20, toutes les voitures étaient peintes aux couleurs de

► A RÉACTION

Cette Lotus 56B à quatre roues motrices est la seule machine de Grand Prix propulsée par une turbine à gaz. En 1971, elle est pilotée par Emerson Fittipaldi.

leurs sponsors à Indianapolis, mais cette pratique crée pourtant une sorte de choc quand elle supprime les couleurs nationales sur les voitures du Vieux Continent, qui est infiniment plus conservateur.

La fin des années 60 connaît une brève incursion des constructeurs de voitures de Formule 1 dans la technique des quatre roues motrices et l'introduction d'ailerons montés en position excessivement haute, lorsque les ingénieurs châssis tentent d'exploiter les expériences aérodynamiques afin d'augmenter les vitesses de passage en courbe. Ces premiers ailerons sont interdits au profit d'appendices aérodynamiques plus rationnels, traités comme des extensions de la carrosserie. Parallèlement, les caisses adoptent une forme générale en coin jusqu'à ce que, en 1977, ce redoutable interprète des règlements qu'est Colin Chapman introduise sa Lotus 78 à « effet de sol ». Cette voiture est dotée d'extensions latérales en forme d'aile inversée et de jupes coulissantes qui ferment l'espace entre la voiture et le sol, de telle sorte que la pénétration dans l'air de la voiture crée une dépression qui la plaque au sol en autorisant des vitesses en courbe supérieures. Ce Type 78 apporte à Lotus le titre de champion du monde des constructeurs pour 1979, du fait que les concurrents de Chapman négligent d'exploiter ses tactiques de recherche. Mais, à la fin de l'année 1980, l'effet de sol est interdit.

La période effet de sol étant entrée dans l'Histoire, un nouvel épisode débute en 1983, avec l'adoption quasi obligatoire du turbocompresseur. Comme le compresseur volumétrique, la technologie du turbo naît

dans l'aviation dès 1917. Au lieu d'avoir un système compresseur entraîné positivement par engrenages, chaîne ou courroie à partir du moteur, le turbocompresseur utilise les gaz d'échappement pour faire tourner une turbine qui entraîne à son tour une pompe rotative à aubes, laquelle force l'air dans les chambres de combustion. Les molécules d'air comprimé qui s'échauffent et se dilatent diminuent la masse d'air, et, afin de contrer cet effet, on intercale

▲ **LA DÉCENNIE PROST**

Alain Prost passe sous le drapeau à damier dans sa McLaren-Honda MP4/4, à l'arrivée du Grand Prix d'Australie, à Adélaïde, en 1988.

un échangeur entre le turbo et les cylindres pour refroidir le mélange air/essence. Une soupape de sécurité dite de décharge laisse éventuellement échapper les surpressions. Dans les années 80, les ingénieurs de Renault travaillant sur les moteurs Grand Prix découvrent qu'en injectant de l'eau dans la charge de gaz on accélère la combustion et on augmente la puissance. Renault va jusqu'à supprimer la soupape de décharge. A l'apogée de la formule, les moteurs Grand Prix turbocompressés à cinq fois la valeur de la pression atmosphérique délivrent jusqu'à 1100 chevaux. Une limitation à quatre fois la pression atmosphérique, en 1987, ne parvient pas à réduire la course à la puissance, et des voitures comme la McLaren-Honda MP4/4 tournent à la limite de l'autodestruction. Cette situation potentiellement mortelle parvient à son terme quand de nouveaux règlements promulgués en 1988 interdisent ces moteurs de Grand Prix de 1000 chevaux.

Par rapport à la Formule 1, le règlement des 500 Miles d'Indianapolis demeure assez constant, et l'effet de sol est toléré après interdiction des jupes mobiles. Une déportance égale à trois fois la masse de la voiture peut être créée, qui suffit à maintenir les monoplaces sur leur trajectoire à des vitesses allant jusqu'à 360 km/h. La

▶ **COMPLOT DE COMPÉTENCES**

La McLaren-Mercedes 1997, pilotée ici par David Coulthard, à Silverstone, unit les savoir-faire de deux grands noms de la course automobile.

plupart des voitures et des moteurs vainqueurs à Indianapolis sont produits en Angleterre, le Cosworth DFX à turbocompresseur (développement en 2,65 litres du moteur DFV) propulsant dix vainqueurs des 500 Miles au cours des années 60 et 70. Les châssis sont fournis par March et Lola, et même Penske, malgré son image intégralement américaine, fait assembler ses châssis en Angleterre.

Lotus démontre en 1987 que la capacité d'innovation de l'équipe n'a pas disparu avec le fondateur, en 1982. La nouvelle Lotus 99T, avec sa monocoque en carbone/Kevlar monocouche, introduit une suspension active qui maintient la même garde au sol, malgré les variations de la masse du carburant embarqué au cours d'un Grand Prix. L'introduction de nouveaux matériaux composites se traduit par d'énormes changements dans la conception des châssis, qui s'allègent en devenant de plus en plus robustes. Dès le milieu des années 60, Ford avait utilisé un matériau en nid d'abeilles d'alliage léger pour construire les caissons du châssis des « J-Cars » GT du Mans. Et le nid d'abeilles en aluminium

est toujours utilisé dans la construction des châssis des voitures de course, et désormais placé en sandwich entre des couches de carbone-composite pour constituer des matériaux stratifiés très robustes.

Les divers panneaux de matériau carbone-composite qui entrent dans la construction du châssis sont assemblés et collés au moyen de résines dans des moules fabriqués à partir du modèle de haute précision de la pièce finie. L'épaisseur du nid d'abeilles en aluminium varie en fonction des contraintes fonctionnelles imposées, et des points de montage en aluminium ou en résine Tufnol sont intégrés afin de recevoir des vis et autres systèmes de fixation structurels. Un châssis de Formule 1 standard qui ne pèse que 35 kilos peut supporter un moteur de 750 chevaux et subir une série de tests d'écrasement sans se rompre. Un des essais prévus sert à vérifier que les flancs de l'habitacle ne céderont pas, même s'ils sont heurtés par une voiture lancée en l'air lors d'une collision multiple.

L'aérodynamique est un facteur majeur dans la recherche des performances des voitures de course, face aux efforts des auteurs des règlements qui tentent de limiter les vitesses sur les circuits. Mais, si de nouvelles règles introduites en 1998 visent à réduire les appuis aérodynamiques de 15 p. cent, les aérodynamiciens sont déjà sur le point de compenser ce handicap en raffinant leurs solutions. Depuis presque un siècle, les techniciens sont conscients des conséquences du facteur aérodynamique sur les performances des voitures, mais ce n'est qu'à la fin des années 60 qu'il est devenu le paramètre essentiel dans le calcul des voitures de course. Un des plus importants constructeurs de machines de course prétend que 80 p. cent des performances de sa voiture dépendent du rendement aérodynamique, qui conditionne la tenue en courbe comme la vitesse de pointe en ligne droite. Un problème majeur se pose en aérodynamique automobile, car, contrairement à un avion, une voiture ne se déplace pas simplement dans l'air, mais repose sur le sol, ce qui altère les caractéristiques du flux d'air qui passe sous la coque.

▲ UN PRIX CONVOITÉ

Départ des 500 Miles d'Indianapolis, en 1995, que remportera Jacques Villeneuve. Cette course, rituellement disputée le week-end du Memorial Day, rapporte le Borg Warner Trophy et plus de 1 million de dollars de prix.

C'est ce handicap primordial que les voitures à effet de sol ont tenté de réduire. Un autre problème se pose du fait des masses en rotation des roues découvertes, qui génèrent une inévitable traînée ou résistance aérodynamique. Ainsi, tous les aérodynamiciens concentrent leurs études sur ces trois facteurs : la traînée, l'appui ou déportance et l'équilibre. Ces problèmes sont traités au moyen de milliers d'heures d'essais en tunnel aérodynamique, afin de définir des machines rapides et stables.

Alors qu'un millénaire va s'achever, le sport automobile rassemble des foules de passionnés dans le monde entier et dans tous les milieux. Plus d'un siècle après que les hommes eurent découvert les joies du sport mécanique, celui-ci maintient sa fascination. Le spectacle d'un pilote talentueux contrôlant sa vitesse sur un circuit est un des plus passionnants qui soient. On pourra toujours se demander si la course améliore vraiment la race des routières, mais il est certain qu'elle a fait naître quelques fantastiques pur-sang sur les circuits.

LES PLUS BELLES VOITURES DE COURSE

2

A chaque stade du développement de l'automobile, les voitures de course ont représenté l'apogée de la puissance, de la vitesse et de la technologie appliquée : la conception des automobiles a constamment fait reculer les limites du pilotage et de la technique. Une auto capable de rouler à 50 km/h en 1900 était tout aussi passionnante à maîtriser qu'un racer moderne poussé à 350 km/h. Pour le vrai amateur, les deux machines sont aussi intéressantes. De nos jours, nous avons la chance de pouvoir juger en action le meilleur de chaque époque, grâce à la fascination et à l'enthousiasme que suscite la course automobile à tous les niveaux. Chaque année apporte de nouveaux défis aux concepteurs des automobiles de compétition, et chaque saison offre de nouvelles raisons de s'enthousiasmer aux millions de passionnés qui s'intéressent au sport automobile. Ce chapitre décrit les diverses voitures, et les circuits, qui ont fait de la course automobile un sport à nul autre pareil.

Der Herrenfahrer

DAS BLATT VOM AUTO UND ANDEREN ANNEHMLICHKEITEN DES LEBENS

1900-1920

PREMIÈRES ANNÉES

La DEUXIÈME DÉCENNIE du xxe siècle a vu la disparition des monstres gigantesques qui avaient caractérisé la première phase de la course au niveau international. Les ingénieurs avaient acquis une meilleure compréhension de la façon d'obtenir une plus grande puissance d'un moteur en améliorant le dessin des culasses et des tubulures d'admission et d'échappement. Les commandes de soupapes vont alors connaître un développement rapide : les soupapes en tête se multiplient sur les moteurs de course, et l'arbre à cames en tête devient le système de commande le plus efficace, parallèlement à la prise en compte croissante des facteurs aérodynamiques sous l'influence de l'aviation naissante. Les constructeurs les plus hardis expérimentent des carrosseries profilées. Il arrive parfois que leurs créations montrent une certaine méconnaissance des principes les plus élémentaires. L'apparition de circuits spécialisés, les autodromes, comme Brooklands et Indianapolis, influence aussi le dessin des voitures de compétition, et l'audacieuse décision prise par Marmon en 1911 de supprimer le mécanicien aux côtés du pilote mènera à la création de carrosseries monoplaces. Cette innovation aura cependant peu d'impact sur les tendances conceptuelles générales.

1900-1920 La Coupe Gordon-Bennett

GORDON BENNETT

LA PREMIÈRE SÉRIE d'épreuves internationales naît du cerveau d'un dynamique propriétaire de journal américain, James Gordon Bennett. Chaque pays participant a le droit d'engager une équipe de trois voitures sélectionnée par les Automobile-Clubs nationaux. Toutes les pièces de la voiture, y compris les pneus, doivent être produites dans le pays représenté. La première Coupe, organisée en 1900, est remportée par une voiture française. Au début, la Coupe Gordon-Bennett est courue dans le cadre d'une épreuve de ville à ville, mais, en 1903, la Coupe est disputée à part sur un circuit fermé en Irlande. Elle constitue un précédent pour une nouvelle série d'épreuves, les Grands Prix, qui remplaceront la Gordon-Bennett après 1905.

▶ LA COURSE À LA MORT

La quatre-cylindres Mors 70 HP dite « dauphin » domine la dernière grande course de ville à ville de 1903. Ce Paris-Madrid est arrêté à Bordeaux, en raison du grand nombre d'accidents qui se sont produits depuis Paris.

Châssis tubulaire

▲ UNE BRUTE MALHEUREUSE

La Gobron-Brillié 110 HP présente un énorme quatre-cylindres de 13,5 litres à pistons opposés, monté dans un léger châssis tubulaire. Elle bat le record du monde de vitesse à 160 km/h, en 1904, mais, en dépit de ce succès, elle n'est pas qualifiée pour la Gordon-Bennett 1904.

◀ DANGER, POUSSIÈRE...

Cette peinture de 1903, due à Manuel Roble, montrant une Mors lancée aux trousses d'une Mercedes, rend bien cette ambiance dramatique qui baigne les premières courses.

▲ LA FORCE DE SAMSON

La six-cylindres Napier de 15,1 litres, surnommée « Samson », avec son radiateur tubulaire en pointe, est la voiture la plus rapide du monde, avec 170 km/h. Sélectionnée pour la Gordon-Bennett de 1905, elle termine huitième.

Pneus de rechange

Siège du mécanicien

▲ UN VAINQUEUR D'EMPRUNT

Cette Mercedes 60 HP à chaînes est identique à celle que Camille Jenatzy mène à la victoire dans la Coupe Gordon-Bennett 1903. Après la destruction dans un incendie des 90 HP prévues par l'usine, Mercedes emprunte au tout dernier moment des voitures de clients.

▲ DOUBLE VICTOIRE

Le Français Léon Théry, pilotant une quatre-cylindres Richard-Brasier 80 HP, gagne la Coupe en 1904. Avec une machine portée à 100 HP en 1905, Théry signe une seconde victoire dans la dernière Coupe Gordon-Bennett.

▲ SEULE SURVIVANTE

Léonce Girardot au volant de la 4 litres 24 HP Panhard et Levassor remporte la Coupe Gordon-Bennett 1901, seul concurrent à l'arrivée.

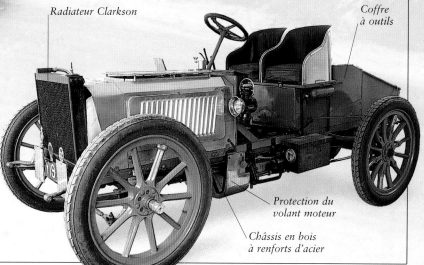

Radiateur Clarkson

Coffre à outils

▶ VICTOIRE BRITANNIQUE

Une Napier quatre cylindres gagne la Coupe en 1902. Cette voiture innove, avec son pont arrière oscillant à arbre, quand les autres grosses voitures ont encore des chaînes.

Protection du volant moteur

Châssis en bois à renforts d'acier

1900-1920 La Coupe Vanderbilt

WILLIAM KISSEM VANDERBILT Jr, « Willie K » pour ses amis, est un richissime Américain très sportif. Sa passion pour l'automobile le conduit très vite, dès 1904, à créer un trophée destiné à encourager les constructeurs américains à courir. Ouvertes à tous les pays, mais organisées uniquement aux États-Unis, les épreuves de la Coupe Vanderbilt dépassent toutes les attentes.

AFFICHE PUBLICITAIRE DE 1911

Courses les plus excitantes de la période héroïque, elles suscitent d'intéressantes innovations. Les premières épreuves, courues à Long Island entre 1904 et 1910, sont les plus passionnantes. Les plus belles victoires reviennent aux Locomobile.

▲ RATTRAPAGE !

Lorsque la roue de secours se détache brusquement sur la Lorraine-Dietrich 130 HP de 17 litres d'Arthur Duray, au cours de la Coupe Vanderbilt 1906, son mécanicien réussit à la rattraper, mais manque de tomber. Duray parvient à le retenir d'une main tout en braquant de l'autre.

▼ UNE RÉUSSITE MÉRITÉE

Construite à l'origine pour la Coupe Vanderbilt de 1906, cette énorme Locomobile de 16 litres est redessinée pour l'édition de 1908 et munie de roues à jante démontable, afin de faciliter les changements de pneus. Pilotée par George Robertson (23 ans), la Locomobile établit un temps record.

▶ UN TOUR EN TÊTE

Le pilote américain Spencer Wishart, alors âgé de 18 ans, pilote cette quatre-cylindres Mercedes 60 HP de 9,25 litres lors de la Coupe 1909. En tête pendant un tour, il rétrograde à cause d'une tubulure d'essence cassée, mais réussit à terminer.

Cockpit sans protection

Jante détachable

Transmission à ch...

◀ DANS LES TRANCHÉES

La Locomobile 16 litres de 1908 au ravitaillement. Les équipes chargées de fournir les réserves d'essence, d'huile et de pneus sont abritées dans des tranchées (ou fosses). A l'époque, seuls le pilote et son mécanicien sont autorisés à intervenir sur la voiture pendant les arrêts en course.

▲ CREVAISON COMPLIQUÉE

Joe Tracy photographié ici au volant de sa Locomobile de 16 litres construite pour la Coupe de 1906. La Locomobile est certes la plus rapide en course, mais ses roues sont à jante non détachable et compliquent donc terriblement les changements de pneus.

▲ FAIBLESSE ET LÉGÈRETÉ

Frank Croker essaie d'améliorer le rapport puissance-poids de sa monstrueuse Simplex 75 HP, en perçant des trous dans le châssis et les essieux. Mais il va malheureusement trop loin ; les nids-de-poule de la route et un passage à niveau en dos d'âne font plier le châssis.

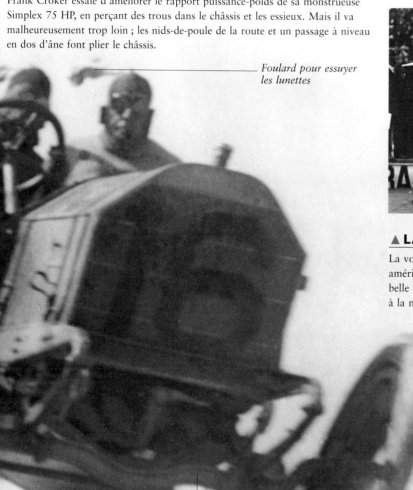

Foulard pour essuyer les lunettes

Essieu avant rigide

▲ LA RÉGIONALE DE L'ÉTAPE

La voiture victorieuse de l'édition 1911 de la Coupe Vanderbilt est cette Lozier américaine de 46 HP et 9 litres, pilotée par Ralph Mulford. La Lozier bat une belle opposition internationale incluant Fiat, Mercedes et Benz, et elle termine à la moyenne record de 120 km/h.

▲ EUROPE CONTRE EUROPE

William Luttgen attend le départ de la Coupe Vanderbilt 1904, avec sa 60 HP Mercedes à moteur à quatre cylindres de 9,25 litres et soupapes en tête. La meilleure voiture de course européenne sera pourtant battue de deux tours par la Panhard pilotée par George Heath.

1900-1920 L'Itala 120 HP

PRESSION
D'HUILE

FONDÉE EN 1904, la firme Itala de Turin participe aux courses dès ses débuts. Trois Itala 120 HP sont construites, qui ne sont pas prêtes pour le Grand Prix de l'ACF de 1907, mais l'une d'elles gagne la Coppa della Velocita à Brescia, en Italie. En 1908, l'importateur anglais d'Itala, H. R. Pope, emmène la voiture en Russie pour y disputer les 692 kilomètres de la course Saint-Péters-bourg-Moscou. Il termine troisième, malgré le bris de ses deux ressorts avant au passage d'un pont en dos d'âne. La voiture est rachetée cette année-là par un amateur anglais, Edgar Thornton, qui la conduit régulièrement sur la route jusqu'à son décès, en 1931.

▲ UNE GAGNANTE

Cette Itala est menée à la victoire dans la Coppa della Velocita disputée en 1907, pilotée par Alessandro Cagno à la moyenne de 104,9 km/h. Cagno est aussi le chauffeur de la reine Margherita d'Italie.

▶ LA PARTIE MÉCANIQUE

L'Itala est propulsée par un énorme quatre-cylindres de 14,4 litres, conçu en fonction de la formule limitant la consommation à 30 litres aux 100 kilomètres. Exceptionnellement, à l'époque où les voitures de course sont à chaînes, l'Itala a un arbre à cardans et un pont oscillant calculé à 110 km/h pour 1000 tours moteur.

La jante démontable facilite les changements de pneus

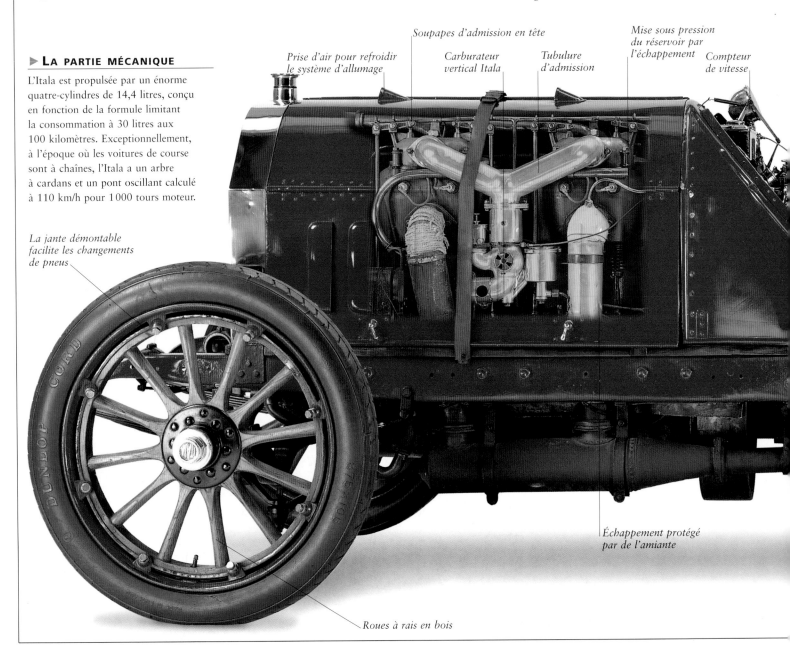

Soupapes d'admission en tête

Prise d'air pour refroidir le système d'allumage

Carburateur vertical Itala

Tubulure d'admission

Mise sous pression du réservoir par l'échappement

Compteur de vitesse

Échappement protégé par de l'amiante

Roues à rais en bois

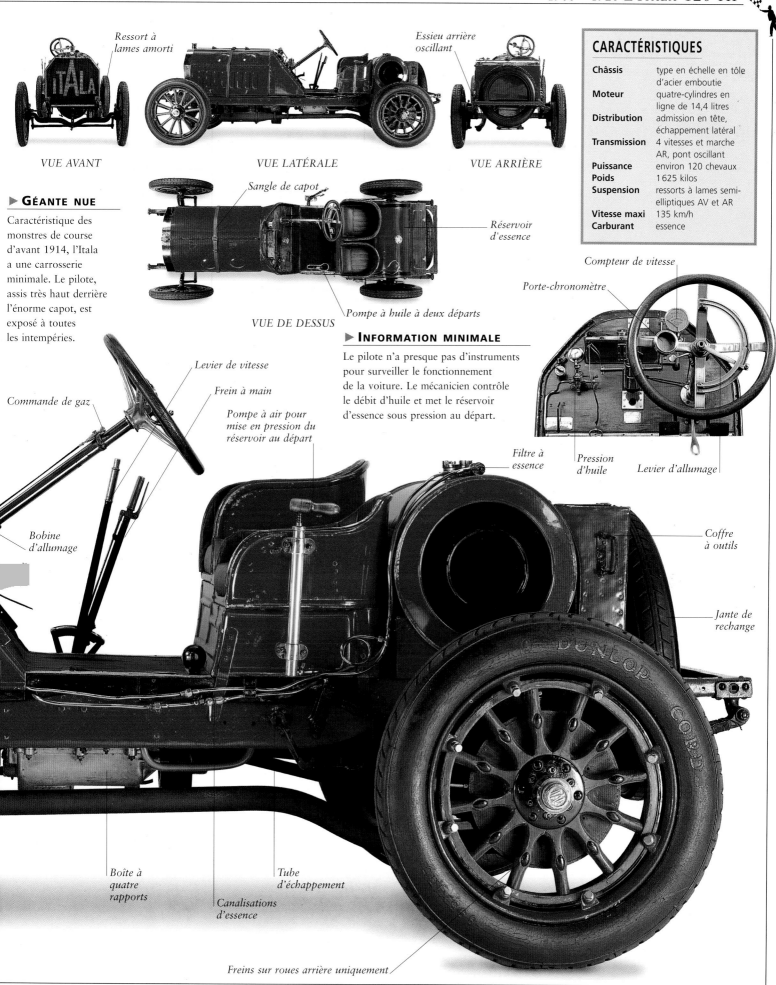

VUE AVANT

VUE LATÉRALE

VUE ARRIÈRE

Ressort à lames amorti

Essieu arrière oscillant

CARACTÉRISTIQUES

Châssis	type en échelle en tôle d'acier emboutie
Moteur	quatre-cylindres en ligne de 14,4 litres
Distribution	admission en tête, échappement latéral
Transmission	4 vitesses et marche AR, pont oscillant
Puissance	environ 120 chevaux
Poids	1 625 kilos
Suspension	ressorts à lames semi-elliptiques AV et AR
Vitesse maxi	135 km/h
Carburant	essence

▶ GÉANTE NUE

Caractéristique des monstres de course d'avant 1914, l'Itala a une carrosserie minimale. Le pilote, assis très haut derrière l'énorme capot, est exposé à toutes les intempéries.

Sangle de capot

Réservoir d'essence

VUE DE DESSUS

Pompe à huile à deux départs

▶ INFORMATION MINIMALE

Le pilote n'a presque pas d'instruments pour surveiller le fonctionnement de la voiture. Le mécanicien contrôle le débit d'huile et met le réservoir d'essence sous pression au départ.

Compteur de vitesse

Porte-chronomètre

Pression d'huile

Levier d'allumage

Levier de vitesse

Frein à main

Pompe à air pour mise en pression du réservoir au départ

Commande de gaz

Bobine d'allumage

Filtre à essence

Coffre à outils

Jante de rechange

Boîte à quatre rapports

Tube d'échappement

Canalisations d'essence

Freins sur roues arrière uniquement

1900-1920 Les épreuves transcontinentales

LA SPYKER ENGAGÉE DANS PARIS-PÉKIN

LES PREMIÈRES ANNÉES des sports mécaniques connaissent ce qui reste comme les plus fabuleuses courses autour du monde jamais organisées : le Pékin-Paris de 1907 et le New York-Paris de 1908. Le nombre d'engagements ne dépasse pas cinq à six voitures chaque année. Les parcours empruntent en majorité des immensités dépourvues de routes, et ces courses sont en fait des tests d'endurance pour les pilotes comme pour les machines. Elles démontrent combien la conception et la technique ont progressé en quelques années, grâce à la compétition. Les constructeurs des machines gagnantes – une Itala et une Thomas-Flyer – sont submergés de commandes, mais incapables de livrer des produits de la qualité des modèles de référence.

▶ ÉPREUVE DE FORCE

Montague Roberts pilote la Thomas-Flyer lors de la première étape de la course New York-Paris. Le mauvais état des routes est le problème majeur pour les pilotes. Roberts doit avoir recours à des paysans locaux pour désembourber sa voiture quelque part dans le Nebraska.

Auvent en toile de bâche

Chaîne de transmission

Roue à rais en bois

▲ LÉGER RETARD

La Züst 24 HP de 7,4 litres ici à l'arrivée de la course New York-Paris de 1908. Retenue par un accident en Allemagne à 800 kilomètres de la ligne, elle parvient à Paris avec près de deux mois de retard sur la voiture gagnante.

◀ SUPPLICE CHINOIS

La petite 10 HP De Dion-Bouton pilotée par Victor Collignon doit être tirée de la boue par des chevaux sur la route de Nankou, au début de la course Pékin-Paris de 1907.

▲ APPARITION

La Thomas-Flyer, pilotée par George Schuster, arrive à Maibara, dans la campagne japonaise, où aucune automobile n'est encore jamais parvenue. Les concurrents, qui avaient prévu de traverser par le détroit de Bering, sont obligés de traverser le Pacifique par la voie maritime.

▲ MARATHON MÉCANIQUE

Le raid Pékin-Paris de 1907 fut remporté par le prince Scipione Borghese, au volant de cette Itala 7,4 litres 35/40 HP. Les trois hommes de l'équipe ont parcouru presque 13 000 kilomètres.

Lanternes à pétrole

Réservoir supplémentaire

Pneus de rechange

Ailes démontables servant de plaques de franchissement

Projecteurs à acétylène

▲ BIEN CONSERVÉE

Cette quatre-cylindres Thomas-Flyer de 60 HP et 9,2 litres ressemble beaucoup à ce qu'elle était à l'arrivée de la course New York-Paris. On voit toujours, gravées dans le siège avant, les initiales des spectateurs qui saluèrent la première victoire d'une voiture américaine dans une épreuve internationale à son arrivée à Paris, en 1908.

◄ AU CŒUR DE L'HIVER

Couvert de fourrures pour se protéger de la neige, le pilote de la Züst, Giulio Sartori, se prépare à quitter Buffalo, dans l'État de New York, en direction de l'ouest pour rallier Paris, en traversant le territoire des États-Unis. La voiture n'a pas de pare-brise, juste un auvent de toile à bâche pour protéger les passagers du froid glacial.

1900-1920 La domination de Fiat

FONDÉE EN 1899, Fiat (Fabbrica Italiana Automobili Torino) joue un rôle dominant dans les premières années de la course automobile. D'énormes machines de course, telle la Méphistophélès, sont construites avant la Grande Guerre, puis Fiat crée des modèles plus raffinés dans les années 20. Les Fiat Grand Prix double arbre sont si performantes que Sunbeam les copie en Angleterre et que les voitures sont surnommées les « Fiat en livrée verte ». Après les 2-litres double arbre, Fiat inaugure une autre formule à succès, les voitures de Grand Prix à compresseur. Si la marque se retire de la compétition à la fin des années 20, elle participe encore à des épreuves routières comme la Mille Miglia avec de petits modèles de sport. Aujourd'hui, Fiat court en Formule 1 par sa filiale Ferrari interposée.

▲ TOUT, SAUF LA MONTAGNE

Fiat construit cette machine de course à quatre cylindres à soupapes en tête pour la première Targa Florio de 1906. La course se déroule sur les routes montagneuses de Sicile. Hélas ! la voiture, conduite par le pilote officiel Vincenzo Lancia, n'est pas du tout adaptée au profil tourmenté des routes, et il doit abandonner.

▲ PREMIÈRE : FIAT

En 1907, la Fiat 7,8 litres de Felice Nazzaro remporte le Kaiserpreis, course parrainée par l'empereur Guillaume II et réservée aux voitures de tourisme de moyenne puissance, de 8 litres au maximum. Nazzaro bat une quarantaine de concurrents.

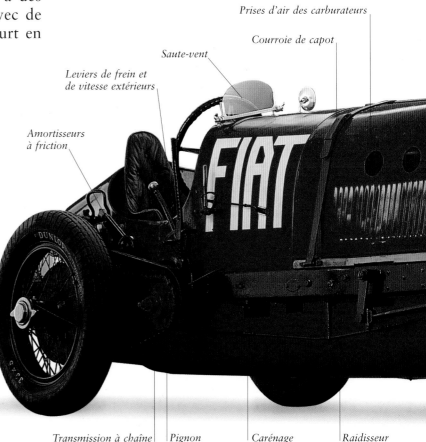

Prises d'air des carburateurs

Courroie de capot

Saute-vent

Leviers de frein et de vitesse extérieurs

Amortisseurs à friction

Transmission à chaîne | *Pignon de chaîne* | *Carénage inférieur* | *Raidisseur de châssis*

◄ ÉCHEC DANS TOUS LES CAS

Cette 4,5-litres est l'une des voitures construites par Fiat pour le Grand Prix de l'ACF 1914 à Lyon. Elle a deux arbres à cames en tête et quatre freins. Son moteur suralésé aurait dû entraîner sa disqualification, mais elle termine à la dernière place.

▲ DÉMONIAQUE

La Méphistophélès est initialement une quatre-cylindres de course de 120 HP. Mais, au début des années 20, son propriétaire, Ernest Eldridge, la dote d'un énorme moteur Fiat de dirigeable, à six cylindres, de 21,7 litres à 1 ACT. Pour le monter, il doit allonger le châssis de 45 centimètres.

▼ UN BIJOU DE SPORT

La Fiat 508S de sport, lancée en 1933, dérive de la petite berline familiale Balilla de 995 cm³. La petite caisse carrée ne semble pas être une base idéale pour courir, mais, avec la culasse à culbuteurs SIATA, cette version sport connaît un grand succès en catégorie 1 100 sport pendant plusieurs années.

▲ DOUBLE DOSE

La Fiat Grand Prix de 1907, représentée sur ces carreaux de faïence a un moteur de 15,3 litres, presque deux fois la cylindrée de la voiture du Kaiserpreis. Felice Nazzaro est deux fois victorieux, au Kaiserpreis et à la Targa Florio, avec la 7,8-litres.

Radiateur spécial

◄ LE GALOP DU DIABLE

Ernest Eldridge est au volant de la Méphistophélès à Brooklands, dans les années 20. Cet engin est capable de boucler un tour à 175 km/h de moyenne.

GRANDES DATES

1900 Vincenzo Lancia et Felice Nazzaro, au volant des toutes premières Fiat de compétition, terminent premier et deuxième de la course de Padoue à Padoue.

1907 Nazzaro remporte le Grand Prix de l'ACF, la Targa Florio et le Kaiserpreis pour Fiat.

1908 Nazzaro gagne la Coppa Florio et, au volant de la Méphistophélès, bat la Napier Samson dans un match à Brooklands.

1911 Hémery gagne le Grand Prix de France avec la Fiat S61 de 10,5 litres. David Bruce-Brown gagne le Grand Prix de Savannah avec une S74 de 14,1 litres.

1922 La Fiat 2 litres à 2 ACT enlève le Grand Prix de l'ACF à Strasbourg.

1923 La Fiat Tipo 805, première voiture de Grand Prix à compresseur, est victorieuse à Monza.

1924 La Méphistophélès bat le record du monde de vitesse pure, à 235 km/h, à Arpajon.

Châssis rallongé avec des morceaux de longerons d'autobus londonien

Pas de freins sur les roues avant

► COLOSSALE MACHINE

La plus grosse des premières voitures de course Fiat est le « monstre de Turin », machine de 300 chevaux propulsée par un moteur de dirigeable de 28,3 litres. Cette voiture aurait atteint 290 km/h à Long Island (État de New York) en 1912. Son énorme moteur oblige le pilote à se pencher de côté pour voir devant lui.

1900-1920 Les grandes épreuves françaises

AFFICHE
PEUGEOT

LE GRAND PRIX de l'Automobile-Club de France, qui remplace la Coupe Gordon-Bennett en 1906, est considéré comme le premier Grand Prix international sur circuit fermé. Mais la série des Grands Prix est interrompue en 1909, après deux cruelles défaites françaises face aux Fiat, aux Mercedes et aux Benz. Jusqu'en 1912, d'autres grandes épreuves sont organisées, mais elles ne sont pas considérées comme des Grands Prix officiels. Celui de l'ACF reparaît en 1912 et Peugeot récolte une victoire pour la France, avec ses révolutionnaires moteurs à 2 ACT. Peugeot réédite son succès en 1913, mais Mercedes triomphe en 1914 à Lyon, en prenant les trois premières places.

◀ TRIOMPHE AMÉRICAIN

La Peugeot L45 de 4,5 litres, battue par les Mercedes au Grand Prix de l'ACF 1914 à Lyon, poursuit sa carrière aux États-Unis en 1915, où elle remporte la Coupe Vanderbilt et le Grand Prix d'Amérique à San Francisco. Dario Resta l mène encore à la victoir dans les 500 Miles 1916

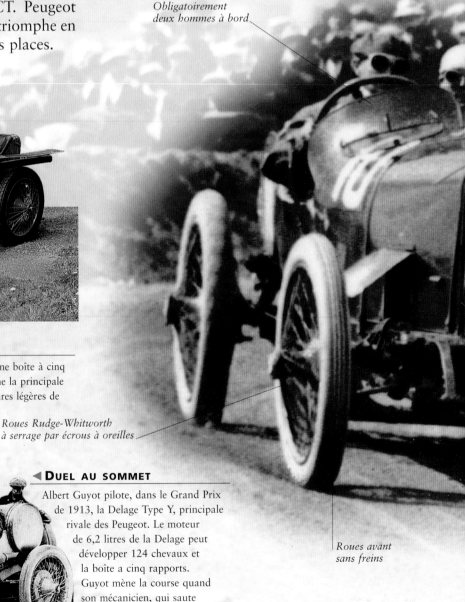

Obligatoirement
deux hommes à bord

Échappement relevé
d'un moteur à soupapes
horizontales

▲ SURMULTIPLIÉE

La Delage Type X est dotée pour la première fois au monde d'une boîte à cinq rapports dont le cinquième est surmultiplié. Cette voiture domine la principale épreuve de l'année 1911, la Coupe de l'Auto, réservée aux voitures légères de moins de 3 litres de cylindrée.

Roues Rudge-Whitworth
à serrage par écrous à oreilles

◀ DUEL AU SOMMET

Albert Guyot pilote, dans le Grand Prix de 1913, la Delage Type Y, principale rivale des Peugeot. Le moteur de 6,2 litres de la Delage peut développer 124 chevaux et la boîte a cinq rapports. Guyot mène la course quand son mécanicien, qui saute trop tôt pour changer un pneu crevé, a une jambe écrasée par une roue arrière.

Roues avant
sans freins

Courroies de capot

Réservoir cylindrique

▲ LES DERNIERS MONSTRES

Cette Fiat de 14,1 litres est engagée dans l'épreuve du Grand Prix de l'ACF 1912 ressuscité. Malgré son aspect monstrueux auprès des machines plus légères de Peugeot et de Rolland-Pilain, elle réussit à terminer à la deuxième place.

Tube de trop-plein

Radiateur à pare-pierres

▲ LA FAVORITE

La Peugeot double arbre de 5,6 litres, pilotée par Georges Boillot, part favorite du Grand Prix de l'ACF 1913. La course se déroule sur 29 tours d'un circuit de 31,6 km, près d'Amiens. La voiture de Boillot, qui atteint 156 km/h sur les longues lignes droites, gagne à 116,2 de moyenne.

▼ TACTIQUE D'USURE

Le Grand Prix de 1914 est remporté par une quatre-cylindres Mercedes, à l'issue d'un duel final acharné. Le moteur de 4,5 litres donne à la voiture une vitesse de 180 km/h. Au 18ᵉ tour, le pilote Christian Lautenschlager passe Boillot, qui le talonne, jusqu'à la faute et la défaillance mécanique dans le dernier tour.

▲ LA TENDANCE À SUIVRE

Jean Chassagne pilote cette Sunbeam 3 litres à 2 ACT dans le Grand Prix 1914. La très efficace technique Peugeot inspire ses concurrents, et cinq marques sur treize alignent des moteurs à deux arbres à cames en tête.

1920-1940

L'AGE D'OR

AUX YEUX DE NOMBREUX ENTHOUSIASTES, les voitures de compétition construites entre les deux guerres représentent l'âge d'or de la course automobile. Les années 20 favorisent la création de merveilles mécaniques comme les Bugatti et les Miller, construites à la main par des ingénieurs-artistes visionnaires. Ces voitures qui signent de multiples victoires sur les circuits peuvent être achetées sur catalogue... à condition d'en avoir les moyens. Puis apparaît la Delage 1500 huit cylindres en ligne, avec son moteur d'une extraordinaire complexité. Dix ans après, elle gagne encore des courses dans sa catégorie. Les Alfa Romeo conçues par Vittorio Jano dans les années 20 et 30 constituent une catégorie à part. Merveilleusement dociles à piloter, elles ont tous les chevaux nécessaires pour gagner les plus dures épreuves, comme la fabuleuse Mille Miglia italienne. Puis viennent les surpuissantes « Flèches d'argent » allemandes, financées par un État totalitaire qui en fait des outils de propagande grâce aux victoires qu'elles remportent dans les Grands Prix internationaux. Les pilotes capables de les maîtriser reçoivent le surnom de « Titans », en raison des qualités exceptionnelles dont ils doivent faire preuve à leur volant.

◀ **RETOUR À LA COURSE**

Les 500 Miles de Brooklands représentent un vrai retour à la course, avec des voitures très rapides de toutes cylindrées courant au handicap.

▼ **SURPRISE AUX 500**

Une des voitures les plus spectaculaires d'Indianapolis est cette V16 de 5 litres due à Harry Miller, qui court entre 1931 et 1932.

1920-1940 L'autodrome de Brooklands

PROGRAMME
DE COURSE
DE 1929

LORSQUE L'AUTODROME de Brooklands est réquisitionné, en 1939, les voitures de course ont atteint des vitesses supérieures à 240 km/h. Ce circuit est construit en 1907, car les courses sur route étaient – et sont toujours – interdites sur routes publiques en Grande-Bretagne. Établi sur de vastes terrains appartenant au richissime Hugh Locke-King, Brooklands atteint son apogée dans les années 20, en attirant des foules énormes. Avec des virages en ciment relevés de 9,10 m, ce circuit de 4,8 km est calculé pour des vitesses de plus de 190 km/h.

▲ VOITURE-PUZZLE

Le comte polonais Stanislas Czaykowski aurait, dit-on, piloté sa Bugatti Type 54 huit cylindres de 4,9 litres « comme un ouragan », afin de remporter l'Empire Trophy de 1933, à 198,84 km/h de moyenne. On a écrit à cette époque que la 54 avait été conçue, construite et engagée en treize jours, avant le Grand Prix de Monza de septembre 1931.

▲ VOITURE DE PLAGE

Nouveau type d'engin de course, la « Babs » est propulsée par un moteur d'avion de 27 litres. Elle court à Brooklands à plusieurs reprises dans les années 20 et établit un record du monde de vitesse pure à 275 km/h sur la plage de Pendine, en 1926.

Cockpit partiellement caréné

Bande-témoin d'usure

Doubles ressorts
cantilever arrière

Pneus racing de 7.00 x 19

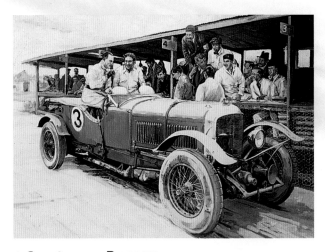

▲ SUPRÊME DE BENTLEY

La Bentley Speed Six (6,6 litres sans compresseur) gagne Le Mans de 1929, pilotée par Woolf Barnato et sir Henry Birkin. En 1931, avec un moteur de 8 litres, elle saute le virage à Brooklands.

▶ RECORD DE LA PISTE

La plus haute vitesse relevée à Brooklands est de 244,46 km/h, atteinte en 1935 par la Napier-Railton de John Cobb, qui signe aussi le record du tour à 230,89 km/h. Cette voiture, spécifiquement construite pour battre le record du monde de vitesse, est dotée d'un moteur d'avion W12 Napier Lion de 24 litres.

▲ **PUR-SANG ITALIEN**

Développée à partir de l'Alfa Romeo 8C-2300 par la Scuderia Ferrari (qui fait courir les Alfa), la 8C-2600 Monza est une des plus brillantes pensionnaires de Brooklands.

▶ **BRILLANTE RÉALISATION**

La Straker-Squire X2 – qui « vaut » 160 km/h avec son moteur à six cylindres séparés à 1 ACT de 3,9 litres – est une vedette de Brooklands au début des années 20, pilotée par Bertie Kensington-Moir.

◀ **LE ZEPPELIN DE LA PISTE**

La Chitty-Chitty-Bang-Bang I est construite pour courir à Brooklands et reçoit un moteur de Zeppelin de 23 litres. Elle est pilotée par son propriétaire, le comte américano-polonais Louis Vorow Zborowski.

Saute-vent

Bouchon à ouverture rapide

◀ **DÉFI FRANÇAIS**

Complexe, mais vraiment extraordinaire, le moteur Delage 1500 à huit cylindres en ligne à 2 ACT remporte tous les Grands Prix de 1927 dont celui de Grande-Bretagne, à Brooklands.

Pas de freins avant

Essieu avant rigide à bras de guidage

BROOKLANDS

Le premier autodrome du monde est une piste en ciment de 30 mètres de large formant un grand bol ovale de 4,8 km de développement extérieur. Les voitures atteignent sans problème 193 km/h, grâce aux virages relevés à 9,10 m.

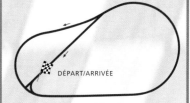

DÉPART/ARRIVÉE

43

La Bugatti Type 35

PRESSION D'ESSENCE

JUGÉE ENCORE aujourd'hui par beaucoup comme la plus belle voiture de course de tous les temps, la Bugatti Type 35 à huit cylindres en ligne fait ses débuts au Grand Prix de l'ACF à Lyon en août 1924. La voiture représentée ici est l'une des cinq machines officielles engagées à Lyon. Pilotée par Pierre de Vizcaya, elle doit abandonner après un dérapage et un choc contre une palissade et une maison, qui fausse l'essieu arrière et le châssis. Produite aussi en 2,3 litres et avec compresseur, disponible sur catalogue pour ceux qui en ont les moyens, la Bugatti Type 35 est la providence des riches amateurs. Son prix équivaut en son temps à celui d'une belle maison de campagne proche de Paris.

▲ PALMARÈS RECORD

La Bugatti T35 est une des voitures les plus titrées de l'histoire du sport automobile, créditée de plus de 2 000 victoires entre 1924 et 1931, depuis les courses de côte locales jusqu'aux Grands Prix internationaux.

▼ CHÂSSIS CALCULÉ

Invisible derrière les tôles ajourées latérales, le châssis Bugatti Type 35 est à section évolutive, en fonction des contraintes qu'il doit subir. Sur les toutes premières Type 35, les cintres avant des longerons sont garnis de blocs de bois.

Remplissage d'essence

Saute-vent

Levier de vitesse

Bielle de guidage

Jante démontable

Roue coulée en aluminium avec tambour incorporé

Flanc de carénage inférieur

Frein à main

Radiateur en fer à cheval

Pointe arrière ventilée

VUE AVANT

VUE LATÉRALE

VUE ARRIÈRE

► PORTE-BONHEUR

Ettore Bugatti qualifie aussi sa Type 35 de « pur-sang », et l'on dit que sa passion des chevaux lui a (peut-être) dicté la forme en fer à cheval du radiateur. Vue en plan, la carrosserie de la Type 35 révèle un profil en aile d'avion.

Mains avant garnies de bois

VUE DE DESSUS

Forme aérodynamique

Tête de distributeur

Montre

Levier d'avance

Pompe de mise en pression du réservoir

Compte-tours

CARACTÉRISTIQUES

Châssis	longerons en tôle d'acier à géométrie variable
Moteur	huit-cylindres en ligne de 2 litres sans compresseur (T35) ou avec (T35C), 2,3 litres sans compresseur (T35T) ou avec (T35B)
Distribution	2 soupapes d'admission, 1 soupape d'échappement, 1 ACT
Transmission	boîte à 4 rapports et marche AR
Puissance	90 à 135 chevaux
Poids	750 kilos
Suspension	AV : ressorts semi-elliptiques ; AR : quart-elliptiques inversés
Vitesse maxi	180/210 km/h
Carburant	essence

◄ ÉTINCELLES SOUS LA MAIN

Solution très inhabituelle, la planche de bord de la Type 35, en aluminium bouchonné, laisse dépasser le distributeur de la magnéto montée en bout d'arbre à cames.

Pression d'huile

Entraînement du compte-tours

Entraînement de magnéto

Moteur huit cylindres en ligne

Carburateur Solex

Guide-câbles d'allumage

Thermomètre d'eau

Pare-pierres

Écrou de roue

onne de direction

Accouplement de direction en cuir

Bielle pendante

Attache de bielle

Cache-moyeu

1920-1940 Les autodromes américains

PROGRAMME SOUVENIR

ENTRE 1910 et le début des années 30, les autodromes à piste en bois attirent les foules aux États-Unis. Il s'agit de « bols » ronds ou ovales aux virages inclinés, construits en madriers recouverts de planches, d'une longueur maximale de 3,2 km. Ces planches sont clouées sur chant. La première piste est créée à Playa del Rey, en Californie, en 1910. Dans les années 20, on en trouve sur tout le territoire américain. Les voitures indigènes dominent la spécialité, Duesenberg et Miller rivalisant sans cesse et partout. Mais des marques françaises gagnent parfois, comme Ballot et Peugeot.

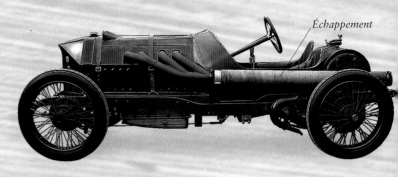

Échappement

▲ NÉE EN ITALIE

L'Isotta Fraschini Tipo IM de 1913 est, par bien des côtés, tout à fait typique des voitures qui courent sur la côte Ouest. Ses originalités sont ses freins avant et son énorme système d'échappement.

▶ DÉBUTS EN FANFARE

La Duesenberg huit cylindres de 4,8 litres est la voiture à battre au début des années 20. Duesenberg remporte huit victoires sur onze épreuves majeures courues sur pistes en bois en 1920.

Levier de frein extérieur

Amortisseurs à friction

Mains avant profilées

▲ CONSTRUITE POUR INDY

La firme française Ballot construit en 1919 cette huit-cylindres en ligne double arbre pour les 500 Miles d'Indianapolis. En 1922, Ralph De Palma gagne une course de 80 kilomètres sur l'ovale en bois de Beverly Hills, à plus de 170 km/h de moyenne.

Raidisseur de châssis

Auvent formant déflecteur

◀ LE ROI DES PLANCHES

Harry Miller conçoit cette Miller 91 à moteur 1,5 litre à compresseur, qui domine sur les planches. Miller rencontre la gloire quand une Duesenberg dotée d'un de ses moteurs 183 à huit cylindres en ligne de 3 litres remporte les 500 Miles d'Indianapolis à une moyenne record.

Carénage inférieur

▶ MILLER AU SOMMET

La domination des Miller au milieu des années 20 apparaît bien ici, sur la piste de Culver City, où elles occupent trois des quatre premières places. Culver City sera un des rares échecs financiers. Ouvert en 1924, le circuit doit fermer quatre ans après, avec 250 000 dollars de dettes.

▲ FRENCH CONNECTION

Duesenberg remporte le Grand Prix de l'ACF 1921 et, par la suite, Harry Hartz pilote cette 3-litres officielle sur la piste en bois de Beverly Hills. La voiture a conservé son immatriculation française sur la pointe arrière.

▲ UNE T SPÉCIALE

Cette Fronty-Ford 1922 est propulsée par un moteur Ford Model T très préparé et équipé d'une culasse à culbuteurs Frontenac, conçue par Louis Chevrolet.

Thermomètre de radiateur

Roue à disque en acier plus robuste

Moteur reculé pour l'équilibrage

Réservoir apparent

◄ CÔTE OUEST

Beaucoup plus rapide que ses rivales de Peugeot, cette Mercer 450 de 7,4 litres donne la victoire à Eddie Pullen au Grand Prix d'Amérique 1914 disputé à Corona, en Californie. Pullen pilote en effet sur plus de 80 kilomètres à la moyenne de 140,5 km/h.

1920-1940 L'heure de Sunbeam

LA MARQUE ANGLAISE Sunbeam s'intéresse à la course lorsque le Français Louis Coatalen est embauché comme ingénieur en chef, en 1919. Il comprend que le succès en course est essentiel à la notoriété des Sunbeam dans le grand public. Pendant plus de vingt ans, Sunbeam est synonyme de victoire dans toutes sortes de compétitions, du circuit routier (surtout au Tourist Trophy couru sur l'île de Man) au record de vitesse absolu sur terre. Lorsque Sunbeam cesse de courir, à l'époque de la dépression économique des années 30, son avenir d'entreprise indépendante est anéanti.

▲ SIMPLEMENT VICTORIEUSE

Construite pour la Coupe de l'Auto 1912 (courue sur un circuit de 67 kilomètres à Dieppe), cette Sunbeam 3 litres est devenue ensuite une voiture de tourisme. Cette épreuve est un grand succès pour ces voitures dotées d'un moteur simple à soupapes latérales, qui terminent aux trois premières places.

▶ COMME UN AVION

La puissante Sunbeam 350 HP, dotée d'un moteur d'avion V12 de 18,3 litres, établit un nouveau record de vitesse sur terre à 215 km/h à Brooklands en 1922, pilotée par Kenelm Lee Guinness (KLG).

Levier de frein extérieur

Numéro de l'île de Man

Pointe arrière allongée servant de stabilisateur

Écrou de roue à oreilles

▲ CHAMPIONNE DU TOURIST TROPHY

Henry Segrave pilote une des Sunbeam 3 litres qui sont engagées dans le Tourist Trophy 1922 sur l'île de Man. Leur moteur à huit cylindres en ligne double arbre en fait les voitures les plus rapides du lot, et le coéquipier de Segrave, le Français Jean Chassagne, gagne avec plus de quatre minutes d'avance sur le deuxième.

▼ LA RAGE DU TIGRE

La Sunbeam Tiger V12 de 4 litres, construite au départ pour les Grands Prix de 1926, signe plusieurs victoires en course ainsi que des records. En 1928, elle remporte le Gold Star Handicap à Brooklands, à la moyenne record sur cette piste de 206,4 km/h.

▲ GOOD FOR GUINNESS

Kenelm Lee Guinness, un des meilleurs pilotes de Sunbeam, mène brièvement le Grand Prix de l'ACF 1924 à Lyon, avec sa Sunbeam six cylindres à compresseur, mais il doit abandonner sur rupture d'un roulement de boîte.

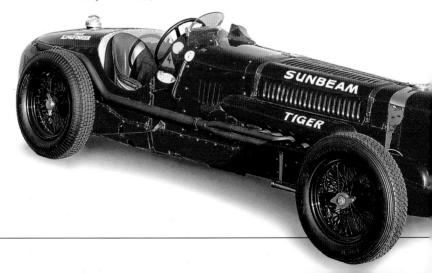

Carrosserie enveloppante

Pneus spéciaux
pour 320 km/h

▲ TOODLES À INDY

La première voiture britannique à être engagée
aux 500 Miles est cette six-cylindres de record
de 6,1 litres de 1911, dite « Toodles IV », qui
termine quatrième en 1913, pilotée par Albert
Guyot. « Toodles » est le surnom affectueusement
donné par l'ingénieur Coatalen à son épouse, Olive.

▶ RECORD ABSOLU

Conçue par le capitaine Jack Irving, la Sunbeam
1 000 chevaux de 1927 est la première automobile à
dépasser 320 km/h, propulsée par deux moteurs d'avion
Sunbeam Matabele de 22,4 litres, l'un à l'avant, l'autre à l'arrière.
Le pilote, Henry Segrave, est assis entre les deux.

Appuie-tête
du pilote

Frein à main
extérieur

Moteur V12 350 ch à
trois soupapes par cylindre

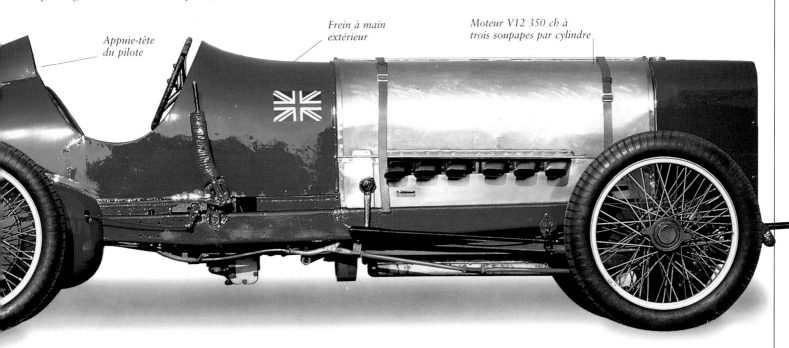

Carénage
du radiateur

GRANDES DATES

1910 La Nautilus, en forme de cigare, est la première
Sunbeam de course dévoilée à Brooklands.

1912 Victoire d'une 3-litres Sunbeam dans la Coupe
de l'Auto, en France.

1913 La 9-litres Sunbeam de record Toodles IV est la
première V12 du monde.

1914 Une Sunbeam 3,3 litres gagne le Tourist Trophy
sur l'île de Man.

1922 Deuxième victoire au Tourist Trophy pour la
3-litres Sunbeam pilotée par Jean Chassagne.

1923 Une 2-litres Sunbeam remporte le Grand Prix
de l'ACF à Tours.

1924 Malcolm Campbell établit un nouveau record
du monde de vitesse sur terre à 235,28 km/h,
avec la Sunbeam 350 HP.

1927 La Sunbeam 1 000 HP est la première voiture
qui dépasse 320 km/h.

▼ « LA PETITE » À BROOKLANDS

Cette six-cylindres Sunbeam de 2 litres à compresseur est d'abord construite
pour le Grand Prix de Lyon 1924, avant d'être développée pour la piste sous
le surnom de « The Cub » (La Petite). Elle peut couvrir un tour de Brooklands
à 200 km/h de moyenne.

Saute-vent

Échappement direct

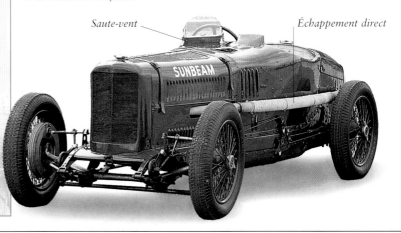

L'autodrome de Montlhéry

1920-1940

DELAGE SUR L'ANNEAU

CONSTRUIT EN 1924 à l'initiative d'Alexandre Lamblin, fabricant de radiateurs et propriétaire de journaux, qui y consacre sa fortune, l'autodrome de Montlhéry entend bien rivaliser avec Brooklands et Monza. Son audacieux anneau de vitesse en béton armé complété d'un circuit routier est situé à proximité de la route nationale 20, au sud de Paris. Tout au long des années 20, ce circuit sera le théâtre des duels au sommet entre Bugatti et Delage. Montlhéry accueille le Grand Prix de l'ACF pour la première fois en 1925, et l'épreuve y sera souvent disputée jusqu'à la fin des années 30. Montlhéry reçoit aussi les voitures de sport, pour le Grand Prix du Salon, par exemple, ainsi que les voitures de record.

▲ PETIT BIJOU

La journée d'ouverture du circuit de Montlhéry, en 1924, est marquée par une épreuve de 200 kilomètres réservée aux voiturettes jusqu'à 1 100 cm³. Cette course attire beaucoup de concurrents, dont les rapides Salmson officielles à moteur double arbre. Le vainqueur signe ce jour-là une moyenne de 136 km/h.

▲ LE DERNIER MONSTRE

L'énorme châssis Renault 40 CV de 9,1 litres (ici la voiture de 1926) est une vedette de Montlhéry dès 1925. En 1926, c'est la toute première voiture qui roule à plus de 173 km/h pendant vingt-quatre heures sans arrêt et qui boucle un tour à 191,1 km/h.

Delahaye 135

Ouïes de ventilation

Carrosserie en aluminium bouchonné

▶ UN CHEF-D'ŒUVRE DE MÉCANIQUE

La Delage 2LCV à moteur V12 de 2 litres est une machine complexe, mais efficace en Grand Prix. En 1925, elle lutte contre les Alfa Romeo officielles, qui doivent abandonner après l'accident mortel d'Antonio Ascari. Deux Delage V12 terminent en tête.

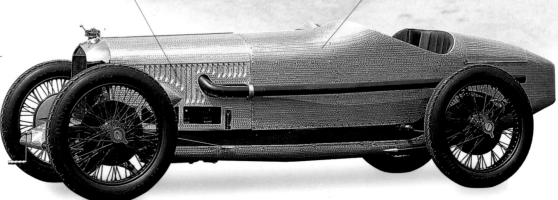

▲ CHANGEMENT RAPIDE

Les écrous de roue à oreilles ou « papillon » ont été inventés par Peugeot en 1913, pour accélérer les changements de roues. On voit ici une des Talbot de l'écurie officielle qui terminent première, deuxième, troisième et cinquième du Grand Prix de l'ACF 1937, couru en catégorie sport.

Talbot-Lago

▼ CAVALERIE LÉGÈRE

Grande rivale des Salmson d'usine et des Bugatti à partir de 1925, l'Amilcar C6 est une puissante petite bête dont le six-cylindres double arbre 1 100 cm³ peut donner 108 chevaux avec un compresseur. Amilcar prend les trois premières places de sa catégorie au Grand Prix du Salon 1925 à Montlhéry.

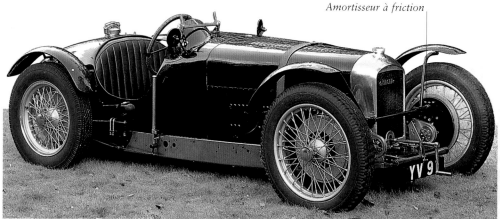

Amortisseur à friction

▲ LE DÉFI DE TALBOT

William Grover-Williams est au volant de cette Talbot 1 500 cm³ huit cylindres dans le Grand Prix de l'ACF 1927. Comme à l'issue de toutes les épreuves du championnat d'Europe de cette saison, la victoire revient à Delage, mais la Talbot de Williams termine quatrième malgré une panne sèche.

▲ OPTION SPORT

Le Grand Prix de l'ACF 1936 est réservé aux voitures de sport, plus routières que destinées au circuit, afin de garantir une victoire française après la sévère défaite face aux Mercedes, en 1935. L'astuce fonctionne et la course est remportée par une Bugatti T57G à carrosserie profilée.

Lagonda 4,5 litres

▼ LABORATOIRE SUR ROUES

Cette réplique moderne de la futuriste Voisin de Grand Prix, une star apparue à Montlhéry lors du « Vintage Montlhéry Lalique » de 1998, fait revivre la machine conçue pour le Grand Prix de Tours de 1923 par l'avionneur devenu constructeur d'autos Gabriel Voisin. C'est la première voiture de course à structure unitaire (monocoque).

Voie arrière plus étroite

MONTLHÉRY

DÉPART/ARRIVÉE

L'autodrome de Montlhéry comprend un anneau de vitesse de 2,5 km et un circuit routier modulable. Le plus long circuit peut atteindre 12,5 km. Cette infrastructure n'accueille plus que des courses « historiques ».

Structure monocoque

Pompe à eau à hélice

1920-1940 La Miller 91

LA MILLER 91 reste le chef-d'œuvre de ce génie de la mécanique qu'est Harry Miller ; elle a été conçue pour la nouvelle formule internationale « 1,5 litre à compresseur » qui entre en vigueur en 1926. Son huit-cylindres en ligne à 2 ACT a été qualifié depuis de « petit moteur », en raison de son très faible encombrement. Mais il peut être poussé à 230 chevaux. Jimmy Murphy signe une moyenne de 262 km/h sur les deux sens, sur le Muroc Dry Lake, en Californie, avec une Miller 91, en atteignant 275 km/h dans un sens. A l'époque, le record de vitesse sur terre établi par une voiture bimoteur de 44 litres n'est supérieur que de 53 km/h seulement. Étonné par l'extraordinaire rendement des Miller, Ettore Bugatti se serait inspiré de leur culasse double arbre.

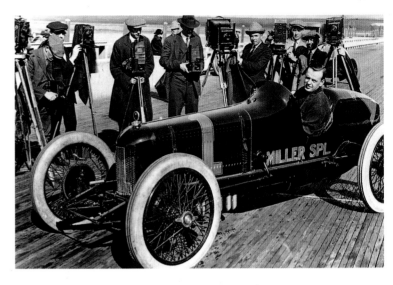

▲ **STAR DU MUET**

La Miller est la reine incontestée des pistes ovales en bois dans les années 20. Celle-ci fait l'admiration des photographes sur le circuit de Culver City, voisin d'un studio de cinéma.

▶ **LA PERLE DE L'ÂGE D'OR**

Cette superbe 91 jaune d'or est menée à la victoire, en 1928, aux 500 Miles d'Indianapolis par Louis Meyer, avec une moyenne proche de 160 km/h, record mondial de la catégorie. Meyer est le premier pilote trois fois vainqueur des 500 Miles.

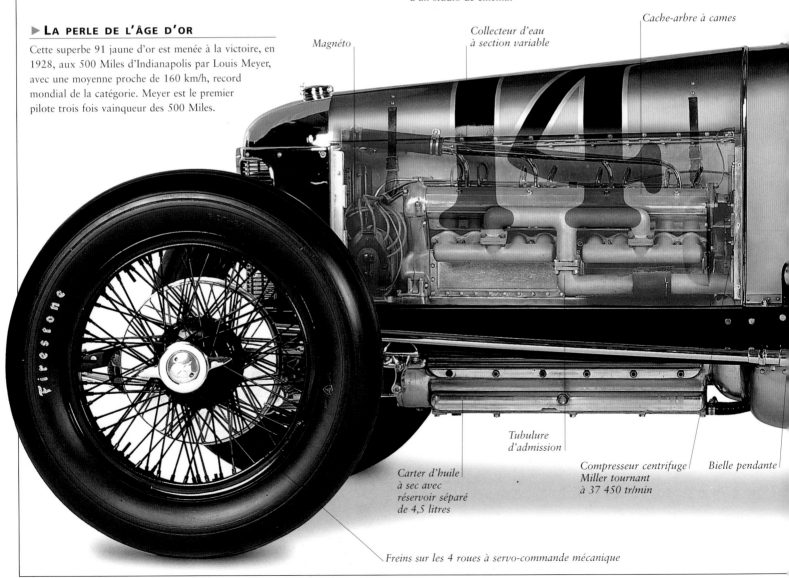

Magnéto

Collecteur d'eau à section variable

Cache-arbre à cames

Tubulure d'admission

Carter d'huile à sec avec réservoir séparé de 4,5 litres

Compresseur centrifuge Miller tournant à 37 450 tr/min

Bielle pendante

Freins sur les 4 roues à servo-commande mécanique

Calandre nickelée

VUE AVANT

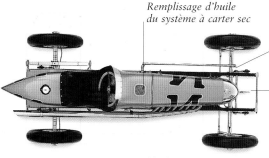

Frein à main

Échappement direct

Carrosserie étroite

VUE LATÉRALE

VUE ARRIÈRE

► FORMES FONCTIONNELLES

Bijou de mécanique de l'âge d'or : les lignes pures de la Miller 91 sont dues au maître dessinateur Leo Goossen. Cette élégante caisse qui habille la mécanique et le pilote (près du corps) ne pèse que 34,4 kg.

Remplissage d'huile du système à carter sec

Ressorts semi-elliptiques

Manivelle de départ

VUE DE DESSUS

Pression à l'admission

Compte-tours

► ÉLÉGANT PERFECTIONNISME

Simplissime, mais très belle, la planche de bord en aluminium de la Miller 91 reflète les préoccupations perfectionnistes de Harry Miller et de ses fidèles techniciens.

Volant découpé

Auvent profilé

Saute-vent démontable

Volant garni de ficelle

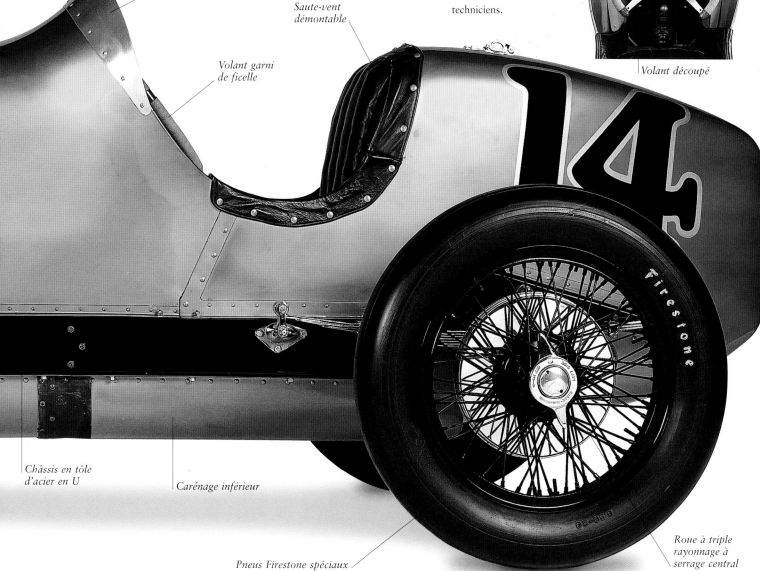

Châssis en tôle d'acier en U

Carénage inférieur

Pneus Firestone spéciaux

Roue à triple rayonnage à serrage central

1920-1940 La Mille Miglia

Forme de carrosserie d'avant-garde

Deux saute-vent

1000 MIGLIA >

LA DERNIÈRE grande course sur route ouverte reste la Mille Miglia italienne, imaginée par le comte Aymo Maggi, qui veut faire de sa ville natale, Brescia, le centre de la plus grande épreuve routière du monde. Partant de et finissant à Brescia, la Mille Miglia s'étend sur un parcours de 1000 milles romains (1618 kilomètres) passant par Rome. Cette course se transforme vite en chasse gardée des meilleures machines italiennes : Alfa Romeo, Fiat, Maserati, OM et Isotta. Mais elle devient de plus en plus dangereuse après 1945 : l'épreuve de la Mille Miglia est finalement interdite après les événements tragiques survenus en 1957.

▶ SŒUR DE GAGNANTE

La Mille Miglia 1940, appelée Coppa Brescia et courue sur 9 tours d'un circuit fermé, est remportée par une BMW 328 pilotée par le baron Huschke von Hanstein. L'équipe BMW comprend deux coupés (dont le vainqueur) déjà vus au Mans en 1939 et trois barquettes comme celle-ci, dont le style très épuré influencera la Jaguar XK120.

▲ LA MONTURE DU CRÉATEUR

Le comte Aymo Maggi, aristocrate et pilote amateur, prend le premier le départ de la Mille Miglia disputé en 1927, au volant de son Isotta Fraschini 8A SS. Cette torpédo sport quatre places est équipée d'un huit-cylindres en ligne de 7,3 litres et peut atteindre 160 km/h.

Calandre type Monza

Couvre-phares

◀ RÉCIDIVISTE

L'Alfa Romeo 8C-2300 MM appartenant à l'équipe Ferrari est dotée d'un moteur porté à 2,6 litres pour la Mille Miglia 1933. Elle est pilotée par Tazio Nuvolari, qui signe alors sa deuxième victoire dans cette course. Les phares sont protégés par des pare-pierres identifiés par des couleurs.

▶ ÉCURIE DE RÊVE

L'équipe Alfa Corse dirigée par Enzo Ferrari aligne des Spyders 8C-2900. Leur moteur huit cylindres en ligne à 2 ACT leur confère une vitesse maximale de 185 km/h. Ces voitures sont confiées aux meilleurs pilotes italiens.

▶ MAGNIFIQUE TRICHEUSE

Cette Alfa Romeo 8C-2900A, qui remporte la Mille Miglia 1936, est en fait une voiture de Grand Prix habillée d'une caisse biplace. Cette course, réservée en principe aux voitures de production standard, n'est gagnée que par des machines de compétition.

Pare-brise rabattable

Ailes minimales

▲ BERLINETTE SPORT

La berlinette Fiat Balilla de 1933 à 1937 est une variante sportive de la petite berline familiale Tipo 508 de 995 cm^3. Les versions course à culbuteurs, dites Coppa d'oro, sont très prisées des pilotes amateurs.

▼ SANS GARANTIE

Dans la Mille Miglia édition 1928, Aymo Maggi pilote cette Maserati 1500 huit cylindres, assisté d'Ernesto Maserati. Cependant, la présence à bord du constructeur n'est pas une garantie de victoire, et cette machine qui atteint 160 km/h est hors course avant même d'avoir atteint Rome.

▲ BONNE GRIMPEUSE

Une Alfa Romeo 8C-2600 Monza à moteur 2,6 litres et caisse biplace négocie les cols de la Futa et de Raticosa, entre Bologne et Florence. Cette section montagneuse est une des plus spectaculaires du parcours de la Mille Miglia.

1920-1940 L'Alfa Romeo 8C-2300

ÉCUSSON DE RADIATEUR

PRODUITE EN 1931 pour concurrencer les modèles sport-compétition de Bugatti et de Mercedes, la 8C-2300 double arbre à compresseur est conçue, comme les 1500 et 1750, par Vittorio Jano, débauché de chez Fiat pour venir créer les Alfa de course. La Scuderia Ferrari, département compétition d'Alfa Romeo dirigé par Enzo Ferrari, réalésera les moteurs à 2,6 litres, en 1934. Les débuts du modèle dans la Mille Miglia édition 1931 sont assez décevants, mais la voiture devient ensuite pratiquement imbattable, remportant trois fois de suite la Targa Florio à partir de 1931, quatre fois les 24 Heures du Mans de 1931 à 1934 et trois fois la Mille Miglia de 1932 à 1934.

▲ DES DÉBUTS DIFFICILES

L'illustre pilote d'Alfa Romeo, Tazio Nuvolari, attend le départ de la Mille Miglia 1931 au volant d'une des premières Alfa 8C-2300 Spider Corsa (une biplace de course) à châssis court. Malgré un accident contre une borne qui endommage le réservoir d'huile, il termine huitième.

▶ ASTUCE RÉGLEMENTAIRE

Les élégantes ailes de cette Alfa Romeo habillée par Touring sont dessinées pour être le plus aérodynamiques possible. L'idée de loger la batterie et les outils dans des coffres profilés tenant lieu de marchepieds réglementaires est très astucieuse.

Roue fils Rudge-Whitworth

Prise d'eau

Pignonnerie centrale des arbres à cames

Filtre à huile

Pare-brise rabattable

Deux blocs-cylindres séparés

Collecteur de quatre cylindres

Saute-vent

Réservoir d'huile

Couvercle de coffre à aileron

VUE AVANT

VUE LATÉRALE

VUE ARRIÈRE

DE·52·69

DE·52·69

▶ UNE CLASSIQUE ABSOLUE

La carrosserie de cette version Le Mans de l'Alfa 8C-2300 est due à Touring, de Milan, l'un des meilleurs carrossiers italiens de modèles sport. La voiture répond au règlement du Mans, qui impose quatre places pour les cylindrées supérieures à 1 500 cm³.

VUE DE DESSUS

Mains avant carénées

Garde-boue profilés

▶ LES INSTRUMENTS DU DESTIN

La planche de bord de l'Alfa Romeo 8C-2300 Le Mans donne au pilote les informations indispensables pendant une épreuve de vingt-quatre heures.

CARACTÉRISTIQUES

Châssis	longerons en acier en U
Moteur	huit-cylindres en ligne 2,3 litres à compresseur
Distribution	2 soupapes par cylindres 2 ACT
Transmission	4 vitesses et marche AR
Puissance	165/180 chevaux
Poids	1 000 kilos
Suspension	4 ressorts à lames semi-elliptiques
Vitesse maxi	215 km/h
Carburant	essence

Compte-tours

Compteur de vitesse

Jauge d'essence

Montre

Embrayage

Accélérateur

Frein

Saute-vent

Volant

Couvre-tonneau réglementaire sur les places arrière

Coffre à batterie profilé intégré aux ailes

Sortie d'échappement en queue de carpe

Écrou de roue à oreilles

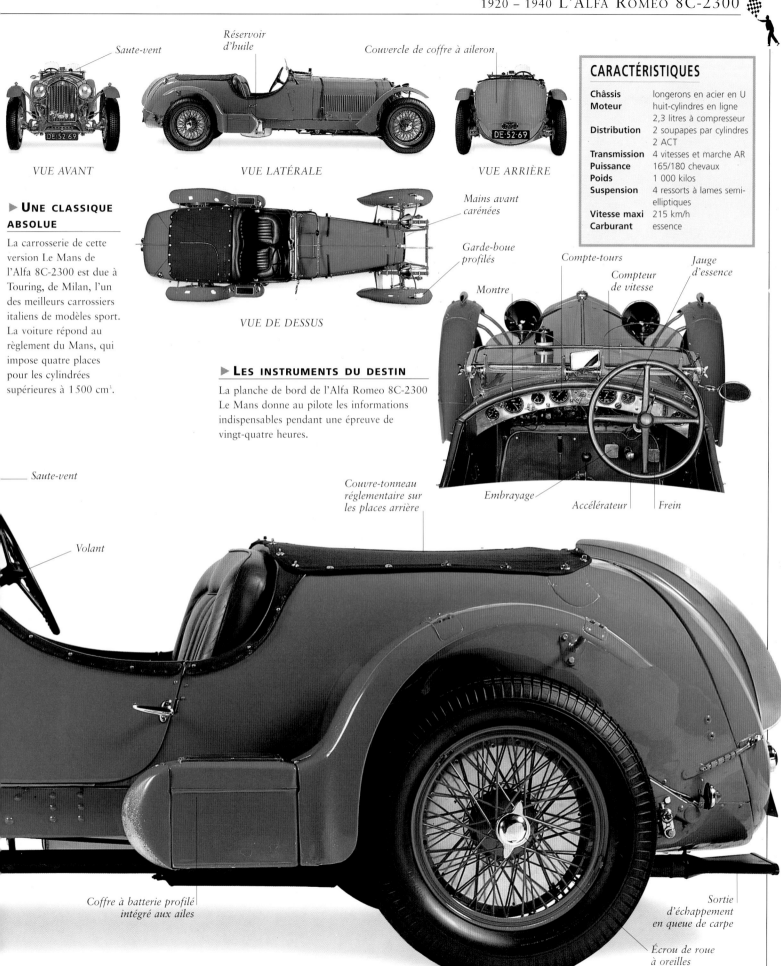

1920-1940 Auto Union et la course

LA PREMIÈRE MARQUE victorieuse en course avec des voitures à moteur arrière est Auto Union, formée en 1932 par la fusion des marques allemandes Audi, DKW, Horch et Wanderer. Encouragée par le régime nazi institué cette année-là, Auto Union s'engage en compétition avec la P-Wagen, conçue par Ferdinand Porsche en 1934 pour la nouvelle formule internationale : voitures de moins de 750 kilos à sec. Avec un moteur V16 de 4,4 litres central arrière et une boîte à cinq rapports, l'Auto Union a des dizaines d'années d'avance. Dès 1934, Auto Union et Mercedes règnent sur tous les circuits de Grand Prix, comme Bugatti l'avait fait dans les années 20.

▲ VAINQUEUR CHEZ LES SIENS

Le plus grand des pilotes italiens, Tazio Nuvolari, rejoint l'équipe Auto Union en 1938, au volant des nouvelles 3-litres Type D à moteur V12. A la grande joie des supporters italiens, il remporte le Grand Prix d'Italie aux cris de « Moteur allemand, courage italien ! ».

Saute-vent rabattable

Volant

Rétroviseur profilé

Tambour de frein en alliage léger *Cockpit avancé*

▲ UN AVION SANS AILES

L'Auto Union Type A apparue en 1934 est décrite comme un fuselage d'avion posé sur quatre roues, avec son aspect aluminium naturel, ses prises et ses extracteurs d'air. On voit ici la voiture de réserve du Grand Prix de l'ACF 1934 à Montlhéry.

◄ BRILLANTS DÉBUTS

En 1934, Auto Union fait des débuts spectaculaires sur le circuit berlinois de l'AVUS, aux virages relevés, lorsque Hans Stuck bat les records sur 160 et 200 kilomètres à la vitesse moyenne de 217 km/h.

▼ ÉVOLUTION

Pour 1935, un nouveau Type B amélioré apparaît avec 16 pipes d'échappement verticales à la place des deux sorties précédentes. La voiture a des panneaux latéraux en aluminium au lieu de la toile d'avion enduite utilisée en 1934. La cylindrée est portée à 5 litres.

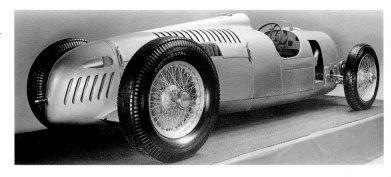

▶ LE CHEF-D'ŒUVRE DE PORSCHE

L'Auto Union Type C 6,1 litres est la dernière voiture de course du groupe à avoir été dessinée par le Dr Ferdinand Porsche. Son moteur V16 à trois arbres à cames donne cinq fois la victoire à Bernd Rosemeyer.

Réservoir d'essence derrière le pilote

Suspension à bras tirés

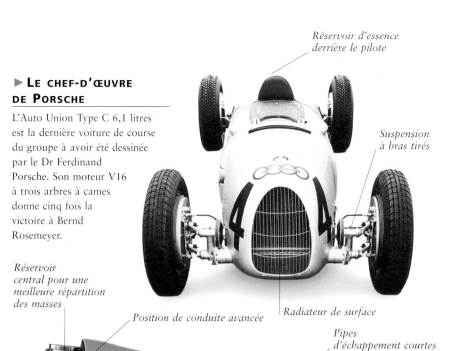

Réservoir central pour une meilleure répartition des masses

Position de conduite avancée

Radiateur de surface

Pipes d'échappement courtes

Réservoir à extensions latérales

▲ FORMES MODERNES

L'Auto Union profilée de Bernd Rosemeyer est ici sur le circuit de l'AVUS en 1937. Les ailes de cette voiture de 6,3 litres ont été découpées pour améliorer le refroidissement du moteur. Sur les briques de la piste aux deux lignes droites de 10 kilomètres, les Auto Union profilées peuvent atteindre près de 385 km/h.

◀ PLUS MANIABLE

Avec ses réservoirs latéraux et son moteur V12 à un seul compresseur, l'Auto Union Type D de 1938 se révèle plus facile à maîtriser que ses devancières.

Roues de 19 pouces pour circuit sinueux, de 22 pouces pour circuits rapides

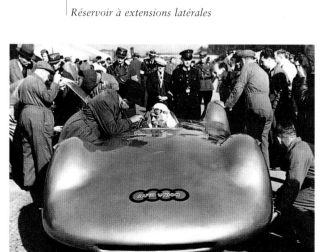

◀ DUEL FRATRICIDE

Le pilote d'Auto Union Bernd Rosemeyer est ici au volant de la voiture profilée à moteur 6,3 litres. En octobre 1937, Auto Union et Mercedes s'affrontent pour passer en premier la barre des 400 km/h sur une portion d'autoroute entre Francfort et Darmstadt. Rosemeyer l'emportera.

GRANDES DATES

1934 Première victoire en course de la Type A au Grand Prix d'Allemagne.

1935 L'Auto Union Type B remporte les Grands Prix d'Italie, de Tunisie et de Tchécoslovaquie, ainsi que la Coppa Acerbo.

1936 Rosemeyer gagne avec une Type C les Grands Prix de l'Eifel, d'Allemagne, de Pescara, de Suisse et d'Italie, et le championnat d'Europe.

1937 Rudi Hasse enlève le Grand Prix de Belgique, tandis que Bernd Rosemeyer s'octroie celui de l'Eifel, la Coupe Vanderbilt, la Coppa Acerbo et le Grand Prix de Donington, tous ces succès revenant à la Type C.

1938 Tazio Nuvolari décroche les Grands Prix d'Italie et de Donington avec l'Auto Union Type D.

1939 Nuvolari remporte en Tchécoslovaquie le dernier Grand Prix d'avant guerre.

1920-1940 Le Grand Prix du Nürburgring

AFFICHE
DU GRAND PRIX
1934

LA NORDSCHLIEFE (la boucle nord) du grand circuit du Nürburgring est une des expériences les plus éprouvantes à vivre pour une voiture et un pilote dans les années 30. Construit au milieu des années 20 pour employer des chômeurs, le circuit du Nürburgring comprend aussi la célèbre courbe relevée du Karussell. Ce circuit est le théâtre de quelques-unes des plus intéressantes épreuves des années 30, quand les équipes Mercedes et Auto Union soutenues par leur gouvernement s'affrontent au sommet. Des foules énormes estimées à 350 000 personnes assistent au Grand Prix d'Allemagne à cette époque où une victoire est une question d'honneur national.

▶ A L'ÉTRANGER

Le Britannique Dick Seaman répond aux vivats de la foule allemande par un timide salut après sa victoire dans le Grand Prix d'Allemagne 1938, obtenu avec la nouvelle Mercedes W154 à moteur V12. Seaman rejoint Mercedes en 1937, mais se tue lors du Grand Prix de Belgique 1939.

▼ CHANGEMENT DE MONTURE

Herman Lang pilote cette Mercedes W25C dans le Grand Prix d'Allemagne 1936 au Nürburgring. Le moteur huit cylindres de 4,3 litres de cette voiture délivre quelque 445 chevaux. Lang finit septième, malgré un doigt cassé en course et un changement de voiture.

Maserati 8CM

Bouchon rapide

Canalisations d'huile extérieures

▲ IMPOSSIBLE VICTOIRE

Tazio Nuvolari pilote une Alfa Romeo Tipo B huit cylindres en ligne de 2,6 litres dans le Grand Prix d'Allemagne 1935. Malgré son retard technique par rapport aux surpuissantes « Flèches d'argent » de Mercedes, l'Alfa remporte la victoire dans le dernier tour, grâce au talent de Nuvolari.

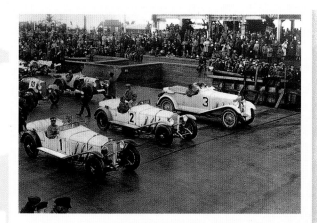

▼ DEUX LÉGENDES SE CROISENT

Cette Mercedes-Benz W125 de 5,7 litres, pilotée récemment au Festival de vitesse de Goodwood par le Britannique John Surtees, ex-champion du monde, fait toujours sensation. Cette voiture a brillé au Nürburgring dans les années 30.

▲ SPORT D'ABORD

Le premier Grand Prix couru au Nürburgring en 1927 est réservé aux voitures de sport. Deux voitures sur les trois de la première ligne sont des Mercedes Type S à compresseur de 6,8 litres, qui termineront première et deuxième.

▼ MERCEDES QUAND MÊME

Dick Seaman fonce vers la victoire au volant d'une Mercedes V12 W154 lors du Grand Prix d'Allemagne 1938. « J'aurais bien voulu que ce soit une voiture anglaise », remarquera-t-il plus tard.

Alfa Romeo 8C-2300

Mercedes W25 Flèche d'argent

Bugatti Type 35

NÜRBURGRING

Formant une grande boucle dans le massif du Nürburg, le Nürburgring est un circuit très éprouvant pour les pilotes. Chaque tour de 22,5 km impose de négocier au total 174 virages, dont le fameux Karussell, fossé utilisé par les conducteurs les plus rapides avant même qu'il soit revêtu en dur.

DÉPART/ARRIVÉE

▲ LES PREMIÈRES FLÈCHES D'ARGENT

Le Grand Prix 1934 réunit une Bugatti vieille de sept ans et huit Alfa Romeo. C'est la première saison des nouvelles Mercedes W25 dites Flèches d'argent, dont les carrosseries en aluminium ne sont pas peintes pour respecter la limite de poids de 750 kilos.

1920-1940 Mercedes et la course

LA DAIMLER appelée Mercedes remporte un premier succès à la Semaine automobile de Nice de 1901, et la marque devient vite un élément dominant du sport automobile. Dans les années 30, les Flèches d'argent – ainsi nommées parce que l'aluminium de leur carrosserie a été laissé brut pour en réduire le poids – sont pratiquement imbattables. Les Flèches d'argent de nouvelle génération, en 1950, montrent que la marque n'a rien perdu de son savoir-faire technologique. Après l'accident du Mans de 1955, Mercedes ne participe plus aux compétitions de haut niveau jusqu'en 1988, année de la coopération avec Sauber. Par la suite, Mercedes s'allie à McLaren et remporte les championnats du monde constructeurs et conducteurs en 1998.

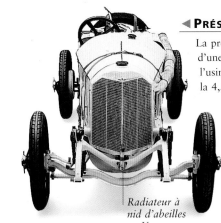

◀ PRÉSAGE À LYON

La première Mercedes de course dotée d'une transmission par arbre sortie de l'usine de Stuttgart Unterturkheim est la 4,5-litres, qui remporte le Grand Prix de l'ACF de 1914. Son moteur est à quatre cylindres séparés à 1 ACT, 16 soupapes et 8 bougies.

Radiateur à nid d'abeilles en V

Saute-vent

Suspension De Dion à barres de torsion

▲ POUR LE KAISER

Cette Mercedes 80 HP à chaîne est préparée pour le Kaiserpreis 1907, épreuve soutenue par Guillaume II et courue sur un circuit montagneux dans le Taunus. Cette voiture termine neuvième, pilotée par Otto Salzer.

▶ GÉANTE

La nouvelle W125 construite pour la saison 1937 est équipée d'un châssis bitubulaire, d'un pont arrière type De Dion et d'un moteur de 5,7 litres donnant 646 chevaux.

▼ TECHNIQUE DE POINTE

La Mercedes 2 litres à compresseur gagne la Targa et la Coppa Florio 1924. L'expérience acquise pendant la guerre avec les moteurs d'avion suralimentés profite à Mercedes.

▲ UNE RETRAITÉE ACTIVE

Cette Mercedes de 12,8 litres appartenant au roi du sucre Tate est ici pilotée sur la plage de Saltburn, dans le Lancashire. Des exemplaires de ce modèle continuent de courir en Angleterre et aux États-Unis après la victoire dans le Grand Prix disputé en 1908 à Dieppe.

Deux appuis-tête

◀ TITRÉE

Issue du développement de la Mercedes W196 de Grand Prix, la huit-cylindres 300SLR est championne du monde catégorie sport en 1955. La voiture présentée ici rejoint la légende quand elle remporte la Mille Miglia 1955, pilotée par Stirling Moss.

Prise d'air frontale

▲ AU PAYS DU TANGO

Les immenses compétences de Mercedes en matière de suralimentation lui permettent de construire de surpuissantes machines de sport dans les années 20, comme cette brutale SSK six cylindres de 7,1 litres pilotée en Argentine par Carlos Zatuszek en 1931.

Porte « papillon »

▶ LA « PAPILLON »

Le prototype d'endurance 300SL de 1952 est doté d'un châssis multitubulaire très élaboré, mais aussi de portes s'ouvrant vers le haut. Des victoires au Mans et à la Carrera Panamericana ouvrent la voie à la version à injection de production.

Entrée d'air principale de radiateur

Entrée d'air auxiliaire

Suspension indépendante à triangles et ressorts hélicoïdaux

▶ MERCEDES : LE RETOUR

La superbe Sauber-Mercedes C11 de 1990 est une des voitures construites après le retour de Mercedes en compétition, en 1988. Mercedes apporte son soutien technique à l'équipe Sauber, dont les voitures d'endurance sont équipées de moteurs V8 de 5 litres à deux turbos. En 1989, Sauber-Mercedes prend les deux premières places au Mans.

Aileron donnant de l'appui

Prise d'air NACA

GRANDES DATES

1903	Camille Jenatzy gagne la Coupe Gordon-Bennett en Irlande, avec une 60 HP.
1908	La Mercedes 12,8 litres de Christian Lautenschlager gagne le Grand Prix de l'ACF.
1914	La Mercedes 4,5 litres de Lautenschlager prend les trois premières places du Grand Prix de l'ACF à Lyon.
1914	Victoire de la Mercedes 18/100 de Ralph De Palma dans la Coupe Vanderbilt.
1915	La Mercedes 18/100 de De Palma enlève les 500 Miles d'Indianapolis.
1926	La huit-cylindres Mercedes 2 litres de Rudi Caracciola gagne le Grand Prix d'Allemagne.
1934	La première victoire d'une Flèche d'argent revient à la W25 de Manfred von Brauchitsch dans l'Eifelrennen.
1935	Les Flèches d'argent gagnent 7 Grands Prix.
1952	La six-cylindres Mercedes 300SL à portes papillon remporte les 24 Heures du Mans.
1954	Le retour de Mercedes en Formule 1 avec la W196 est marqué par le championnat du monde des conducteurs, gagné par Fangio.
1955	Six Grands Prix reviennent à la Mercedes W196, le championnat du monde à Fangio, et la victoire à la Mille Miglia à Stirling Moss et à la 300SLR.
1988	Retour de Mercedes à la compétition et victoire dans le championnat du monde des voitures de sport en 1989-1990, avec la 5-litres Sauber-Mercedes.
1998	La McLaren-Mercedes MP4-13 de Mika Hakkinen s'adjuge les championnats du monde des conducteurs et des constructeurs.

1920-1940 Le Grand Prix de Monaco

AFFICHE DU GRAND PRIX 1936

AVANT 1929, les circuits de Grand Prix avaient été tracés en rase campagne ou sur des autodromes spécialisés, tels que Brooklands ou Monza. Le premier Grand Prix de Monaco apporte une nouvelle dimension à la course, car il est disputé dans les rues de la capitale de la Principauté, Monte-Carlo, sur un parcours très sinueux. Cette course met en valeur la maniabilité des machines et le talent des pilotes beaucoup plus que la puissance des moteurs. Les premiers Grands Prix de Monaco favorisent l'agilité des Bugatti, mais la série de leurs succès est interrompue par l'Alfa Romeo 8C Monza de Tazio Nuvolari.

▲ **CHAUDE POURSUITE**

Inattendue dans ce premier Grand Prix de Monaco, une Corre-La Licorne six cylindres 1,5 litre pilotée par Michel Doré est pressée par une Bugatti. Si Corre participe depuis 1901, le seul succès notable de la marque est la victoire dans le rallye de Monte-Carlo 1930.

Emblème de la Scuderia Ferrari

▲ **DUR POUR LES FREINS**

Tazio Nuvolari pilote cette Alfa 8C-35 3,8 litres dans le Grand Prix de Monaco 1936. Menant pendant 30 tours sous une pluie quasi continuelle, il doit rétrograder en raison de problèmes de freins.

Suspension à deux ressorts hélicoïdaux

▲ **VIRTUOSE**

Manifestement totalement inadaptée aux virages serrés du tortueux circuit de Monte-Carlo, cette Mercedes 7,1 litres à compresseur, aux mains du talentueux Rudi Caracciola, mène provisoirement le Grand Prix de 1929. Les légères Bugatti la relégueront pourtant à la troisième place.

▼ LA CANDIDATE IDÉALE

Vue pour la première fois au Grand Prix de Tunisie 1933, la Maserati Tipo 8CM huit cylindres en ligne 3 litres à compresseur, qui peut atteindre 240 km/h, se montre bien adaptée au circuit de Monaco, surtout aux mains de pilotes comme Raymond Sommer et « Phi-Phi » Étancelin.

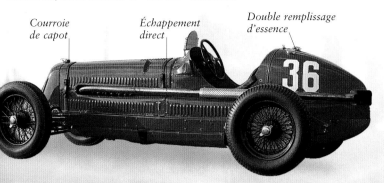

Courroie de capot

Échappement direct

Double remplissage d'essence

▲ OCCASION PERDUE

Le pilote monégasque Louis Chiron manque le premier Grand Prix de Monaco pour courir à Indianapolis. En 1930, il s'aligne avec cette Bugatti Type 35C et mène largement jusqu'au 84e tour, mais il perd du temps avec son accélérateur défectueux et doit céder devant René Dreyfus.

▶ UN ARCHÉTYPE

La Bugatti Type 35, qui existe en 1 500, 2 000 et 2 300 cm³, peut répondre à différentes formules de course. La plus titrée des voitures des années 20 compte plus de 2 000 succès à son crédit, dont le premier Grand Prix de Monaco.

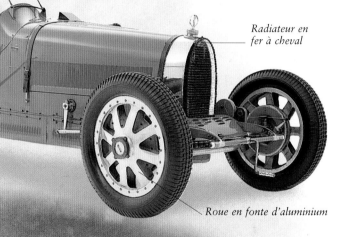

Radiateur en fer à cheval

Roue en fonte d'aluminium

▲ COURSE DE CHARS

Le premier Grand Prix de Monaco de 1929 attire quelque 23 concurrents, en majorité des Bugatti. Saluée comme « l'épreuve la plus proche d'une course de chars romains de ces dernières années », cette course revient à William Grover, dit Williams, au volant d'une Bugatti Type 35B.

MONACO

DÉPART/ARRIVÉE

Premier Grand Prix à tracé urbain, Monaco entre dans la légende en 1929. Le parcours, dessiné par Anthony Noghès, fait moins de 3,2 km. Avec le port comme toile de fond, le Grand Prix de Monaco est une des épreuves les plus passionnantes qui soient au monde.

GRAND PRIX d'EUROPE
AUTOS
4
10
INTERNAT.
MOTORRADRENNEN
BERN 3./4. Juli 1948

1940-1960

LA GRANDE MUTATION

LA SECONDE GUERRE MONDIALE interrompt presque toutes les compé-titions en Europe, mais, dès la fin des hostilités, les passionnés relancent cette activité sans tarder, les anciennes voitures d'avant guerre devant reprendre du service pendant quelques années en attendant les créations nouvelles. En Grande-Bretagne, les nombreux aérodromes militaires désaffectés permettent l'établissement de circuits souhaités depuis longtemps. C'est aussi une époque de projets audacieux. Aux côtés des marques italiennes bien établies comme Maserati et Alfa Romeo, les nouvelles Ferrari de sport et de Grand Prix s'imposent vite sur la scène sportive. Elles vont signer des victoires sans précédent sous la direction autocratique d'Enzo Ferrari, pour qui la course est la vie même. La Grande-Bretagne finit par produire des voitures de Grand Prix compétitives avec la création de BRM. Ces machines doivent mettre un terme à la domination italienne en Grand Prix, mais elles ne seront jamais portées au niveau d'excellence nécessaire. La période voit naître des concepts révolutionnaires, qui s'imposent à Indianapolis, la renaissance, dramatiquement provisoire, des activités sportives de Mercedes et la fin du règne des voitures à moteur avant. Tout va changer alors, et de façon irréversible.

◀ **RENAISSANCE DE LA COURSE**

L'impact de la guerre touche le monde entier, y compris la Suisse, pourtant neutre. Après 1945, la course automobile reprend dans toute l'Europe.

▼ **ABSOLUE MASERATI**

L'archétype de la monoplace de Grand Prix des années 50, la six-cylindres Maserati 250F de 2,5 litres, est produite en trois séries entre 1954 et 1958.

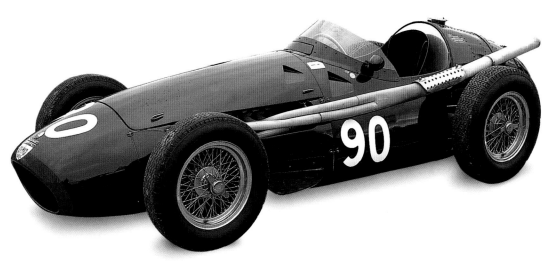

1940-1960 Le phénomène midget

AFFICHE DE COURSE DE MIDGET

LES ÉPREUVES pour midgets (voitures naines) sont nées aux États-Unis dans les années de la Grande Dépression (1930-1934), pour compenser la disparition de nombreuses épreuves du championnat. Les midgets doivent avoir un empattement compris entre 168 et 193 centimètres. Mais la petitesse des machines n'empêche pas les performances, car elles peuvent atteindre les 110 km/h sans problème. Les courses sont disputées sur des circuits couverts ou extérieurs dont la longueur varie entre 160 et 1 600 mètres. Cette formule est une bonne école de pilotage pour de nombreuses futures vedettes sur circuit ovale. Plusieurs vainqueurs d'Indianapolis, et le champion du monde de Formule 1, Mario Andretti, pilotent des midgets. Cette discipline atteint son apogée dans les années 50 et, en 1955, l'United States Auto Club crée une division midget qui organise jusqu'à 70 épreuves par an.

► MOTEURS AU CHOIX

Un « speedster » à châssis classique équipé du fiable Ford V8-60 latéral mène devant une midget Kurtis à châssis tubulaire et moteur « Offy » à Middletown, dans l'État de New York, en 1948. Si le moteur Offy est plus raffiné, le Ford gagne encore – souvent grâce à une dose de nitrométhane (la vitamine ou la « dope ») ajoutée dans le réservoir.

▲ LA GLISSE

Cinq midgets démontrent la technique du virage en glissade sur la cendrée du Gilmore Stadium, en Californie. Le circuit porte le nom du pétrolier Earl Gilmore, qui a assuré la promotion du moteur Offy pour midget, préférable aux bricolages maison souvent peu fiables qui équipent ces voitures.

▼ A LA POUSSETTE

La « Jimmy James Special » 1947 d'Aaron Woodwards est une des 1 000 midgets (environ) construites par Frank Kurtis. La structure tubulaire arrière permet les départs « à la poussette ».

Protecteur

Suspension transversale

Châssis Ford modifié

▼ A TOUTE VAPEUR

Vic Sloan est ici au volant de sa classique midget à châssis à longerons. Grâce à des culasses spéciales en aluminium et deux carburateurs Stromberg, le moteur Ford V8-60 se montre performant. Mais sa tendance à la surchauffe lui vaut le sobriquet de « la bouilloire ».

◀ EFFICACITÉ D'ABORD

Jimmy Ludlington remporte une course au Sun Valley Midget Speedway à Anderson, dans l'Indiana, en juillet 1948, avec cette midget à moteur Offy. Les premières midgets ont des boîtes Ford Model A réduites à deux rapports avant, qui seront remplacées par une transmission simplifiée à un seul crabot.

▲ MERCI, FORD !

Des centaines de midgets identiques à celle-ci sont construites par des amateurs, qui utilisent des pièces de voitures Ford de tourisme.

Échappement
extérieur

Prises d'air
des carburateurs

▲ MOTORISATIONS VARIÉES

Autre variante sur le thème du moteur Ford V8-60, la midget à châssis de Roy Duckworth date de 1949. Si les moteurs Ford et Offy sont les plus nombreux, certaines midgets reçoivent un moteur de moto Indian, Harley-Davidson ou JAP, voire un hors-bord Elto à quatre cylindres deux temps.

▲ PROSÉLYTISME

Ces midgets à moteur Ford V8-60 font partie d'une équipe américaine venue en Grande-Bretagne au printemps 1948 pour faire la promotion de cette nouvelle discipline. Plus de 60 000 passionnés anglais viennent les encourager.

Bras tirés de guidage
du pont

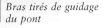

▲ A LA LUTTE

Cette épreuve en salle courue en 1949 à Kingsbridge Armory, dans l'État de New York, oppose Joe Barzola, sur une des premières Kurtis à cadre tubulaire, à Tony Bonadies, à sa droite. Frank Kurtis fabrique le châssis de ces midgets en tube d'acier au chrome-molybdène. Une midget Kurtis coûte moins de 2 800 dollars.

▶ SIX-CYLINDRES

Cette « Knudsen Special » fait bon usage de diverses pièces Ford. Son moteur à six cylindres reçoit une culasse spéciale Knudsen à trois carburateurs et à culbuteurs.

1940-1960 Kurtis-Offenhauser

LES ANNÉES qui suivent immédiatement la guerre voient germer quelques brillantes solutions à Indianapolis. L'élan est donné en Californie du Sud, où plusieurs constructeurs spécialisés partent du concept de la voiture de « dirt-track » à moteur « Offy » et l'adaptent à la piste en dur. Indépendamment de l'Europe, ils développent des châssis tubulaires, l'injection d'essence, les freins à disque et les roues en alliage de magnésium, les amortisseurs télescopiques et les suspensions indépendantes à barres de torsion. Frank Kurtis règne parmi les constructeurs de machines de course californiens. Dès les années 30, il comprend que le déport latéral du moteur donne une meilleure stabilité sur les anneaux de vitesse. Entre 1950 et 1964, toutes les voitures gagnantes à Indianapolis sont construites ou influencées par Kurtis.

▲ **UNE PLUIE BIENVENUE**

Johnnie Parsons gagne les 500 Miles de 1950 avec cette Kurtis-Offy. Le temps a sa part dans ce succès, car la course est arrêtée après 138 tours en raison de la pluie, ruinant la stratégie de ses rivaux, qui se préparaient à un assaut massif dans les derniers tours.

Frein à main

Tableau de bord

◀ **A L'AMÉRICAINE**

Avec son volant à centre rembourré et sa configuration soignée, le cockpit de la Kurtis-Offy est conforme aux normes des constructeurs californiens de voitures de course spéciales.

Levier de vitesse

Remplissage d'essence

Centre de volant rembourré

Échappement non protégé

Bras de guidage du pont

Écrou de roue à oreilles

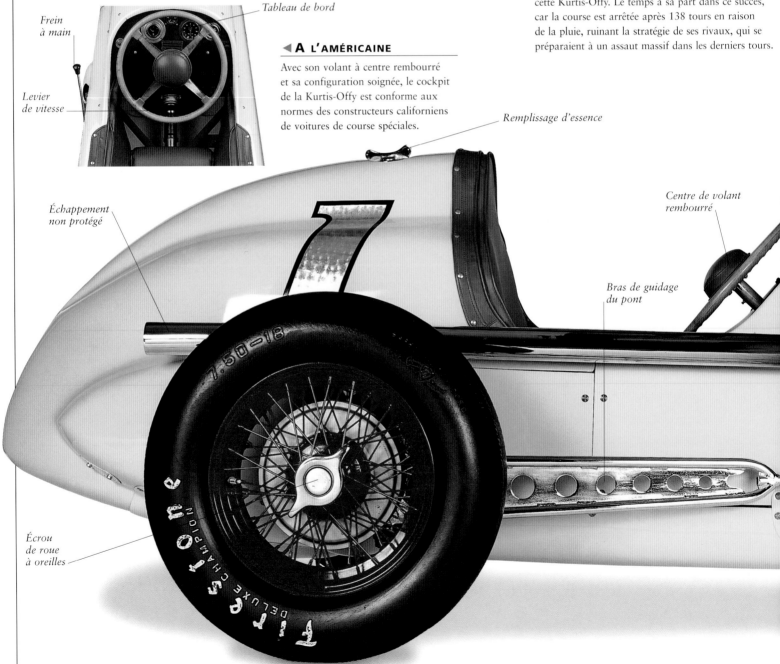

Prise d'air

Protecteur de prises
d'air de carburateur

Pompe à main

Châssis décalé

VUE AVANT

Double direction

VUE LATÉRALE

VUE ARRIÈRE

Demi-arbres
inégaux

Carrosserie
asymétrique

Filtre à carburant

▶ DISSYMÉTRIE

Frank Kurtis est le premier à imaginer
le montage décalé pour les machines
d'anneau de vitesse. Le déplacement de
la masse du moteur vers le côté de la
voiture proche de l'intérieur de la piste
lui apporte une meilleure stabilité.

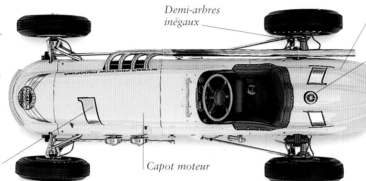

Numéro de course cloisonné

Capot moteur

VUE DE DESSUS

▼ CHÂSSIS CLASSIQUE

La Kurtis-Offenhauser a un châssis tubulaire conventionnel de
voiture de dirt-track, mais ses suspensions avant indépendantes
sont un progrès. Les premières Kurtis-Offy ont un pont De Dion
à l'arrière, mais la voiture que Johnnie Parsons pilote au cours
des 500 Miles 1950 a des suspensions arrière indépendantes
contrôlées par des barres de torsion.

CARACTÉRISTIQUES

Châssis	multitubulaire
Moteur	Offy quatre cylindres 4,5 litres
Distribution	4 soupapes par cylindre, 2 ACT
Transmission	2 rapports
Puissance	325 chevaux
Poids	725 kilos
Suspension	AV/AR : barres de torsion
Vitesse maxi	environ 240 km/h
Carburant	essence

Nom du sponsor

Peinture
très voyante

Pneus de course
Firestone Deluxe Champion

WYNN'S FRICTION PROOFING

Bielle pendante

Bras de direction

Aération du moteur

1940-1960 Le Grand Prix d'Argentine

AUTOBIOGRAPHIE DE FANGIO

LA COURSE EN ARGENTINE au niveau international commence au début des années 50, avec la construction du circuit « du 17-Octobre » à Buenos Aires. L'Argentine est la patrie de deux des meilleurs pilotes des années 50, Juan Manuel Fangio et Froilan Gonzales, qui dominent les courses et remportent de nombreuses victoires sur Maserati et Ferrari. Le président argentin, Juan Peron, finance ce circuit afin de soutenir le prestige acquis par ces deux pilotes sur le plan international. Le Grand Prix d'Argentine s'interrompt en 1961, puis il renaît provisoirement dans les années 70, avant d'être réorganisé en 1995 sur un circuit refondu à Buenos Aires.

▲ PERDU PAR LA PLUIE

La première course de Froilan Gonzales pour Ferrari a lieu en 1954 au Grand Prix d'Argentine. Si sa Ferrari Tipo 625 de 2,5 litres est plus rapide que ses rivales de Maserati, sa tenue de route est inférieure et, après qu'une averse tropicale a délavé la piste, Gonzales ne peut finir que troisième.

▶ TRIOMPHE POUR MASERATI

Dans les années 50, le Grand Prix d'Argentine ouvre la saison de Formule 1. La course de 1957 est un triomphe pour Maserati – Fangio, avec sa 250F, mène devant ses coéquipiers Jean Behra, Carlos Menditeguy et Harry Schell –, qui prend les quatre premières places.

▲ MASERATI À COMPRESSEUR

Grille de départ du Grand Prix international Juan-Peron de 1949 sur le circuit de Palermo, à Buenos Aires. La course est remportée par la Maserati 4CLT à compresseur de 260 chevaux d'Alberto Ascari.

◀ AUX COULEURS NATIONALES

Peinte aux couleurs nationales – bleu et jaune – de l'Argentine Racing Club, la Ferrari 125/166 2 litres « America » 1949 a été pilotée à ses débuts par Froilan Gonzales et Juan Manuel Fangio dans les épreuves argentines.

◀ MOMENT HISTORIQUE

Stirling Moss, au volant de cette Cooper-Climax, remporte au Grand Prix d'Argentine de 1958 le premier championnat du monde d'une voiture à moteur arrière.

► DOUBLE VICTOIRE

Alberto Ascari remporte le Grand Prix d'Argentine 1950 sur le circuit de Mar del Plata, avec cette Ferrari V12 1,5 litre à compresseur. Le pilote a déjà gagné l'épreuve l'année précédente au volant d'une puissante Maserati 4CLT/48 à compresseur.

▲ ABANDON

On voit ici une des trois Gordini Type 16 2,5 litres double arbre participant aux Grands Prix d'Argentine 1954 et 1955, mais aucune de ces voitures ne figure à l'arrivée. Ces machines françaises débutent en 1952 avec des moteurs de 2 litres.

Juan Manuel Fangio

▲ SIGNÉE PORSCHE

La première voiture de Grand Prix d'après guerre étudiée par Ferdinand Porsche pour Cisitalia, la Type 360 à quatre roues motrices de 1949, est équipée d'un moteur à douze cylindres à plat de 1,5 litre. En Argentine, elle est appelée « Autoar ».

17 DE OCTUBRE

Le Grand Prix d'Argentine entre en 1953 dans le championnat du monde. Le président Peron inaugure le nouveau circuit, appelé « 17 de Octubre », afin d'intégrer l'Argentine au calendrier international. Glissant par temps de pluie et présentant des problèmes de contrôle de la foule, l'autodrome de Buenos Aires disparaît du calendrier de F1 après 1960. Les Grands Prix reviennent en Argentine de 1971 à 1980, puis réapparaissent en 1995.

DÉPART/ARRIVÉE

► LANCIA

La Lancia D50 débute au Grand Prix d'Argentine de 1955. Son moteur V8 de 2,5 litres fait partie intégrante du châssis à l'avant, et ses réservoirs latéraux séparés apportent une meilleure répartition des masses. En raison de ses problèmes financiers, Lancia cède l'ensemble du projet à Ferrari.

Réservoirs latéraux séparés

1940-1960 Les Maserati

LES FRÈRES MASERATI sont en Italie des préparateurs et des mécaniciens réputés avant même d'avoir construit la première voiture portant leur nom, qui remporte sa classe dans la Targa Florio 1926. Après la disparition du fondateur de la firme, Alfieri Maserati, en 1932, ses trois frères continuent de construire de très efficaces voitures de Grand Prix et de sport destinées à des pilotes professionnels, mais également à des amateurs. En 1937, l'entreprise est refinancée par la richissime famille Orsi, qui s'assure la collaboration des frères Maserati jusqu'en 1947. La production reste encore très faible, mais les résultats sont vraiment prestigieux.

◀ UNE MONOPLACE DE LÉGENDE

La réputation de la Maserati 6CM-1500 a largement dépassé son volume réel de production. Onze exemplaires seulement de la monoplace Tipo 6CM sont construits entre 1936 et 1939. Cette voiture est dotée d'un six-cylindres en ligne double arbre à compresseur de 1500 cm³. La Tipo 6 CM démontre tout son potentiel en battant les ERA d'usine au Nürburgring, en 1936.

▶ VEDETTE AMÉRICAINE

La Maserati Tipo 8CTF de 1938 est destinée à la nouvelle formule 3 litres. Peu heureuse en Grand Prix, elle réussit à gagner les 500 Miles d'Indianapolis en 1939 et 1940.

Saute-vent

▼ PROVIDENCE DES PRIVÉS

La première vraie monoplace Maserati de Grand Prix, la Tipo 8CM, débute en 1933 à Tunis. Son moteur de 3 litres à huit cylindres en ligne lui donne une vitesse maximale de 230 km/h. C'est une machine appréciée par les écuries privées.

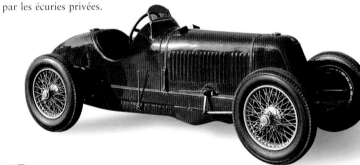

▼ TRAVESTIE

Cette Maserati Tipo 6C/34 de 1934 est une voiture de Grand Prix issue d'une série de six machines construites entre 1934 et 1935. En version monoplace de 3,3 litres, la Tipo 6C/34 accomplit des prouesses, pilotée par Tazio Nuvolari. Cette unique biplace, dotée d'un moteur de 3,7 litres, a couru la Mille Miglia 1935.

▲ TUBULAIRE

Dérivée de la 4CL d'avant guerre, la 4CLT (le T pour Tubolare, à châssis tubulaire) débute à Reims en 1947, avant d'être refondue en 1948 pour devenir la 4CLT/48, souvent victorieuse sur le plan international. La puissance provient d'un remarquable moteur à quatre cylindres à compresseur donnant 260 chevaux, qui propulse la voiture à plus de 260 km/h.

▲ VICTORIEUSE EN GRAND PRIX

Construite en version de 2 litres pour la Formule 2, puis adaptée à un moteur de Formule 1 de 2,5 litres pour 1954, la six-cylindres Tipo A6CGM est pilotée ici par le talentueux Juan Manuel Fangio dans le Grand Prix de Suisse 1953. Fangio remporte aussi le Grand Prix d'Italie avec cette Maserati.

▼ ÉLÉGANCE DU COUPÉ

Habillé d'une caisse de coupé GT par Pininfarina, le coupé A6GCS court sur le circuit routier de Sicile 1954. Lancée en 1947 sous la forme d'une monoplace à roues découvertes, l'A6GCS réapparaît modifiée en 1953, avec une carrosserie enveloppante. Une équipe officielle de trois voitures engagée à la Mille Miglia remporte sa catégorie.

Roues fils à serrage
central de 19 pouces

Passage d'arbre de
démarreur ou de manivelle

Tambour de
frein ventilé

▼ CHEF-D'ŒUVRE

Considérée par beaucoup comme la plus belle monoplace d'après guerre, la Maserati 250F de 2,5 litres est un des grands rôles sur la scène des Grands Prix de 1954 à 1957. On voit ici les 250F de Piero Taruffi (n° 8) et de Jean Behra (n° 4) avant le départ du Grand Prix de l'ACF à Reims, en 1956.

GRANDES DATES

1926	Alfieri Maserati mène la première Maserati, la Tipo 26, à la victoire dans la Targa Florio.
1929	Une Tipo V4 à seize cylindres en V de 4 litres réalise la plus haute vitesse jamais atteinte, soit 246,1 km/h à Crémone.
1933	Tazio Nuvolari et sa Tipo 8CM gagnent le Grand Prix de Belgique.
1939	La Tipo 8CTF de Wilbur Shaw enlève l'Indy.
1957	Fangio remporte le championnat du monde des conducteurs avec la Maserati 250F.

▼ CHEF-D'ŒUVRE BIS

La belle Maserati Tipo 300S (sport), pilotée par Stirling Moss et Jean Behra, remporte les 1 000 kilomètres du Nürburgring en mai 1956. Cette 3-litres atteint 290 km/h. Construite de 1955 à 1958, la Tipo 300S est largement exportée aux États-Unis.

Plan stabilisateur

◄ BELLE BRUTE

Cette « Eldorado Special » est confiée à Stirling Moss en 1958 à Monza, pour la « Course des deux mondes », opposant voitures américaines et européennes. Mais son moteur de 4,2 litres est bien trop brutal pour son châssis et ses freins, et la voiture abandonne la course sur accident.

1940-1960 La Jaguar Type C

AUX YEUX DE BEAUCOUP de passionnés, la Jaguar Type C symbolise le véritable « esprit du Mans » : il s'agit d'une voiture de sport-compétition pratique, susceptible de rejoindre le circuit par la route, de courir, de gagner et de revenir également par la route. A ces qualités déjà remarquables, la Type C ajoute une grâce féline rarement égalée. William Lyons, fondateur de Jaguar, est lui-même un excellent styliste, mais il confie la définition de la forme de la Type C à son spécialiste aérodynamicien, Malcolm Sayer. Lyons insiste beaucoup pour que la voiture, officiellement désignée XK120-C (le C pour compétition), conserve un air de famille avec les XK120 de production, mais, sous sa carrosserie, la Type C cache un châssis tubulaire très rigide. Répondant à la mission qui lui a été confiée, la Type C apporte à Jaguar sa première victoire au Mans.

▲ FORMULE EFFICACE

Construite pour gagner au Mans, la Type C y parvient brillamment en 1951, à une moyenne record. Elle remporte aussi le Grand Prix de Reims Formule Sport de 1952 sur 360 kilomètres, avec Stirling Moss.

◀ TOUT POUR LA COURSE

Conçue pour la compétition, la planche de bord de la Type C concentre les données essentielles devant les yeux du pilote.

▼ ÉTUDIÉE EN SOUFFLERIE

L'aérodynamicien Malcolm Sayer travaille tout d'abord pour la société Bristol Aeroplane, et la XK120-C est sa première étude après son recrutement par Jaguar. La voiture est plus légère et plus profilée que la XK120 de route, mais elle conserve l'air de famille Jaguar, notamment au niveau du profil curviligne des ailes.

Bouchon à ouverture rapide

Porte côté pilote uniquement

Saute-vent

Volant télescopique

Sous-châssis arrière

Roue fils à serrage central et jante en aluminium

Seuil relevé et châssis multitubulaire

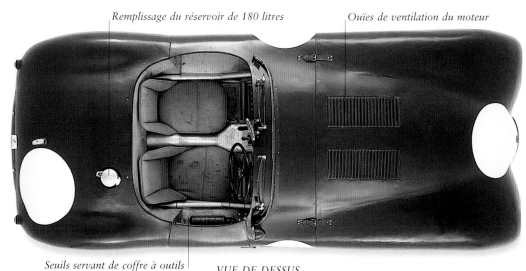

Remplissage du réservoir de 180 litres

Ouïes de ventilation du moteur

Seuils servant de coffre à outils

VUE DE DESSUS

CARACTÉRISTIQUES

Châssis	multitubulaire
Moteur	six-cylindres en ligne 3,4 litres
Distribution	2 soupapes par cylindre, 2 ACT
Transmission	4 rapports et marche AR
Puissance	200 chevaux
Poids	1 015 kilos
Suspension	AV : indépendante à barres de torsion et triangles ; AR : pont rigide et barres de torsion
Vitesse maxi	230 km/h
Carburant	essence

◄ BÂTIE POUR LA COURSE

Cinquante-quatre Jaguar Type C seulement sont construites entre 1951 et 1953, et leurs lignes très étudiées les placent parmi les plus élégantes voitures de sport jamais produites. Destinées à la course, elles n'ont qu'une seule porte côté conducteur, et le passager doit grimper à bord en évitant de se brûler sur le tube d'échappement.

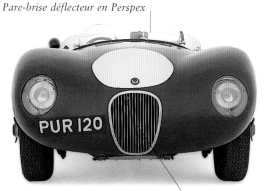

Pare-brise déflecteur en Perspex

Feu stop

Couvre-roue de secours

VUE AVANT

Entrée d'air style Jaguar

VUE ARRIÈRE

Pneu de course à structure diagonale

Emplacement de numéro de course

Capot articulé à l'avant pour une accessibilité supérieure

Projecteurs intégrés aux ailes

Poignée d'ouverture du capot

Écrou de roue à oreilles

1940-1960 Le Grand Prix de Grande-Bretagr

PROGRAMME DU GRAND PRIX D'AINTREE

LA DÉCENNIE DES ANNÉES 50 est une époque dorée pour le sport automobile anglais. Si le projet BRM (British Racing Motors) promet beaucoup, mais donne peu, la fugitive société Vanwall a davantage de succès. Des pilotes britanniques comme Stirling Moss et Mike Hawthorn sont parmi les meilleurs du monde. Après les tristes années d'un austère après-guerre, le sport automobile explose littéralement.

Plusieurs aérodromes militaires désaffectés sont transformés en circuits automobiles, comme c'est le cas de Silverstone et de Goodwood, tandis que la piste d'Aintree est tracée juste à côté d'un hippodrome.

Grande entrée d'air

Roue fils à serrage central

▲ UN CONCEPT TROP AMBITIEUX

Trop complexe et trop peu fiable, le moteur BRM V16 1,5 litre à compresseur centrifuge conçu par Raymond Mays aurait dû couronner les efforts britanniques dans le domaine de la course automobile après la guerre. Capable de développer 485 chevaux, il ne peut faire mieux que se contenter de figurer lors du Grand Prix de Grande-Bretagne 1951.

▲ VICTOIRE À GOODWOOD

Mike Hawthorn est ici au volant de la Thin Wall Special sur base de Ferrari 4,5 litres, qui remporte les deux épreuves de Formule libre du Goodwood International Meeting de 1953. Goodwood, ancien aérodrome du Sussex, est le siège du British Automobile Racing Club.

Jean Behra

▼ FERRARI EN ACTION

Le pilote français Maurice Trintignant au volant ici d'une Ferrari 625-555 lors du Grand Prix de Grande-Bretagne 1955, à Aintree. Une surchauffe l'oblige à abandonner au 59e tour.

Grand tambour de frein

▲ BRAVO, L'ANCIENNE

L'Alta Grand Prix 1,5 litre à compresseur à deux étages de 1950 ne tient pas ses promesses. Ici, l'Alta de Joe Kelly (à gauche sur la piste) lutte avec l'ERA 1939 de Brian Shawe-Taylor lors du Grand Prix de Grande-Bretagne 1951 à Silverstone. L'ERA termine huitième, neuf tours devant l'Alta, classée dernière.

Échappement direct

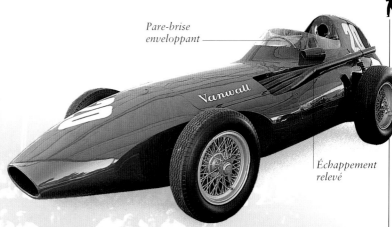

Pare-brise
enveloppant

Échappement
relevé

▲ VICTOIRE DÉCISIVE

L'Argentin Froilan Gonzales se distingue à Silverstone, avec cette Ferrari V12 4,5 litres, dans le Grand Prix de Grande-Bretagne 1951. Sa victoire précipite le retrait d'Alfa Romeo des Grands Prix.

▲ DERNIÈRE SAISON

La Vanwall quatre cylindres double arbre gagne le championnat du monde 1958. Son moteur de 2,5 litres lui donne une vitesse de pointe de 280 km/h. L'écurie Vanwall est dissoute à la fin de la saison, en raison de la mauvaise santé de son commanditaire, Tony Vandervell.

Juan Manuel Fangio

Stirling Moss

▼ MERCEDES SUR TOUTE LA LIGNE

Aintree accueille le passionnant Grand Prix de Grande-Bretagne 1955, que remporte Stirling Moss au volant d'une huit-cylindres en ligne Mercedes W196, la première victoire en Grand Prix du jeune Britannique, qui gagne d'une longueur devant Fangio, également sur W196.

▼ L'ARGENTIN VOLANT

C'est un spectacle magique au début des années 50 que celui offert par le brillant pilote argentin Juan Manuel Fangio, ici au volant de la rapide Alfa Romeo 159 au Grand Prix de Grande-Bretagne 1951, à Silverstone.

1940-1960 La Mercedes W196

ÉCUSSON
DE CAPOT

RÉPONDANT à la nouvelle formule internationale annoncée pour 1954, qui impose 2,5 litres maximum, Mercedes fait son retour en course et son entrée en Formule 1 pour la première fois depuis 1939. La nouvelle W196 bénéficie de l'expérience acquise avec la 300SL de sport et utilise un châssis en treillis tubulaire. Son moteur huit cylindres en ligne de 2,5 litres, incliné sur le côté droit pour abaisser la hauteur du capot et le centre de gravité, est alimenté par injection directe. Parmi les autres solutions de pointe, citons les ingénieux freins avant et arrière « inboard », pour réduire les masses non suspendues. La W196 est engagée avec une caisse enveloppante ou avec les roues découvertes, selon le type de circuit sur lequel elle doit courir.

▲ UN PALMARÈS ÉTONNANT

Juan Manuel Fangio est ici au volant d'une Mercedes W196 dans le Grand Prix d'Argentine 1955, année où il remporte son deuxième titre mondial. La W196 a un palmarès très étoffé, qui débute par le premier Grand Prix qu'elle dispute, celui de l'ACF 1954, enlevé par Fangio devant son coéquipier Karl Kling.

▼ UNE SILHOUETTE BASSE

Le châssis en treillis de tubes de petite section de la W196 permet une position de conduite très basse, qui donne à la voiture une silhouette inhabituelle par rapport à ses rivales en Formule 1. En raison des freins « inboard », le démarreur extérieur doit être connecté par une ouverture dans la pointe arrière.

Trappe de remplissage d'essence

Volant démontable

Extracteur d'air

Trappe de remplissage d'huile

Écrou de roue à trois oreilles

Prise d'air

VUE AVANT

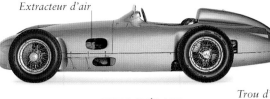

Extracteur d'air

VUE LATÉRALE

Trou d'insertion du démarreur

VUE ARRIÈRE

▶ DÉSHABILLÉE

Cette version à roues découvertes de la W196 se révèle plus efficace en Grand Prix que la version à caisse enveloppante. Sans la vision des roues avant, les pilotes ont davantage de difficultés pour placer la voiture en courbe avec précision.

▶ SANS RESSORT

Les soupapes desmodromiques du huit en ligne de la W196 n'ont pas de ressorts de rappel : en effet, elles sont positivement ouvertes et refermées.

Pare-pierres

Appuie-tête

VUE DE DESSUS

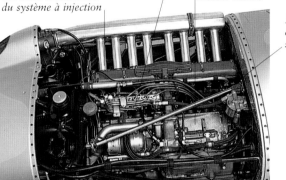

Tubulure d'admission du système à injection

Pompe à injection Bosch

Moteur incliné

Ensemble culasse/bloc soudé

Boîtier de direction

Colonne de direction

CARACTÉRISTIQUES

Châssis	multitubulaire
Moteur	huit-cylindres en ligne 2,5 litres
Distribution	2 soupapes par cylindre, desmodromiques
Transmission	5 rapports
Puissance	300 chevaux
Poids	640 kilos
Suspension	AV : barres de torsion ; AR : barres de torsion, demi-essieux oscillants
Vitesse maxi	280 km/h
Carburant	essence

Pression d'huile

Volant démontable

Compte-tours

Pédale de frein

Sélecteur de vitesse

▲ SIMPLE ET PURE

Si la W196 offre un siège plus confortable que les voitures de Grand Prix de son époque, sa planche de bord est aussi simple que réduite à l'essentiel.

Saute-vent

Rétroviseur profilé

Prise d'air (fermée)

Châssis multitubulaire

Écrou de roue à deux oreilles

Prise d'air vers la chambre de tranquillisation

Double échappement

Pare-pierres

1940-1960 Ferrari et la course

LE CHEVAL CABRÉ

ENZO FERRARI fonde la Scuderia Ferrari en 1929, pour prendre en charge les intérêts en compétition de la firme Alfa Romeo. Après avoir quitté Alfa, Ferrari crée deux voitures de sport à huit cylindres en ligne en 1939, avant de devenir constructeur sous son nom en 1947, année où il dévoile sa nouvelle V12 de sport. Dès lors, la firme sera essentiellement un constructeur de voitures de compétition qui seront financées par des routières de production. Le palmarès de Ferrari en Grand Prix est prestigieux et reste inégalé, et la marque a remporté huit fois le championnat du monde des constructeurs entre 1950 et 1998.

▲ UNE GUERRE D'USURE

Le Grand Prix d'Italie 1954 oppose trois protagonistes principaux. La Ferrari d'Alberto Ascari (au centre) est un modèle de transition : châssis 625 et moteur 553. Elle mène la course jusqu'à l'explosion de son moteur. Ensuite, la Mercedes (à gauche) de Fangio finit par battre la Maserati de Stirling Moss.

▲ SCHUMACHER AU JAPON

Michael Schumacher remporte le Grand Prix du Japon 1997 à Suzuka, avec cette Ferrari F310B à moteur V10 Type 046. Son principal rival, Jacques Villeneuve, est disqualifié, ce qui ne l'empêchera pas de s'assurer le titre mondial.

Capot surbaissé

Réservoir latéral

▲ AU TEMPS DE LA TARGA

Cette Ferrari 166 Sport est rapidement assemblée pour l'équipe Gruppo Inter du prince Igor Troubetskoï à la fin des années 40. Elle est dotée d'un des premiers moteurs V12 porté à 2 litres. Elle révèle une efficacité certaine en course, et Troubetskoï remporte sa catégorie dans la Targa Florio 1948.

GRANDES DATES

1947 Première victoire de la nouvelle Ferrari 166 Grand Prix à Garda.

1949 Une Ferrari 166 Barchetta remporte les premières 24 Heures du Mans d'après guerre.

1951 Froilan Gonzales apporte à Ferrari sa première victoire en Grand Prix à Silverstone, avec la 345 de 4,5 litres.

1952 Alberto Ascari remporte le premier titre mondial de Ferrari avec la Tipo 500.

1956 Brillante année pour Ferrari, grâce à la Lancia-Ferrari D50 Grand Prix, qui donne à Fangio son titre mondial.

1961 Premier des 8 championnats du monde des constructeurs pour Ferrari (autres années : 1964, 1975, 1976, 1977, 1979, 1982, 1983).

1962 Une 330LM 4 litres remporte la dernière grande victoire en catégorie sport d'une Ferrari à moteur avant au Mans.

1997 En fin de saison, Ferrari totalise 113 Grands Prix.

1998 Ferrari monte son record à 119 succès.

▲ AU VOLANT

Vue avec les yeux d'un pilote, la planche de bord de la Ferrari 166 de Troubetskoï est logiquement agencée. Un développement de cette voiture, la 166 MM Barchetta, remporte un succès notoire aux 24 Heures du Mans 1949.

▲ SPORTSTER SPÉCIALE

Cette belle Ferrari Dino 196S carrossée par Fantuzzi ressemble
à une classique Testa Rossa V12, mais elle est dotée d'un moteur
V6 « Dino 246 » de 2,4 litres. Pilotée en 1960 par les frères
Rodriguez à Sebring et dans la Targa Florio, elle est ensuite
engagée par le NART de Luigi Chinetti.

▶ AUX ANTIPODES

Cette voiture, construite pour le pilote néo-zélandais
Chris Amon pour courir en Tasmanie en 1967,
utilise initialement un moteur V6 Dino
à 65 degrés. Ce groupe fait place ensuite
à un V6 246 2,4 litres à 18 soupapes,
installé ici dans la toute
nouvelle monocoque
« Aero ».

*Moteur V6
2,4 litres
18 soupapes*

*Remplissage
d'essence*

*Échappement
relevé*

*Bouclier protecteur
pour le coude du pilote*

▲ UNE FUSÉE

La première voiture de Grand Prix
monocoque de Ferrari, la 312B3,
qui apparaît en 1973, est refondue
totalement dans l'intersaison 1973-
1974. Son moteur douze cylindres à
plat développe 490 chevaux (données
constructeur) et propulse la voiture
à plus de 250 km/h. Niki Lauda la
conduit deux fois à la victoire en 1974.

▲ UN SQUALE

Version améliorée de la quatre-cylindres 2 litres
Tipo 553 Squalo (requin), la Tipo 555 Supersqualo
apparaît en 1955. Elle bénéficie d'une nouvelle
configuration du châssis, et une structure arrière
tubulaire reçoit les suspensions, la carrosserie
et les réservoirs.

▼ TURBO

En 1980, Ferrari introduit un moteur V6 turbo.
Cette 126C2B 1,5 litre est construite en 1982
et refondue en 1983 aux nouvelles spécifications
pour les premières courses de la saison. Aux mains
de Patrick Tambay, cette voiture finit cinquième
du Grand Prix du Brésil 1983.

▲ TROP LENTE

Michele Alboreto pilote cette Ferrari 126C4 lors
du Grand Prix de Grande-Bretagne 1984 à Brands
Hatch, mais la voiture semble manquer de vitesse
malgré sa puissance annoncée de 660 chevaux. Elle
reçoit de nouveaux radiateurs pour améliorer son
aérodynamique. Alboreto finit cinquième, malgré
l'opposition de la Ligier d'Andrea De Cesaris.

1940-1960 Les 500 Miles d'Indianapolis

PROGRAMME
DES 500 MILES

LA COURSE DES 500 MILES d'Indianapolis, ou Indy, créée en 1911 aux États-Unis, attire des foules considérables le week-end du Memorial Day. Mais, à la fin de la Seconde Guerre mondiale, son avenir est compromis. Abandonnée et couverte de mauvaises herbes, la piste en brique paraît irrécupérable. Un promoteur local, Tony Hulman, qui veut faire revivre la vieille piste d'Indianapolis, relance un âge d'or pour toutes les voitures de course américaines. Les épreuves des années 50 sont dominées par les voitures de Kurtis, propulsées par le vieux mais réputé moteur « Offy ». En 1955, Hulman joue un rôle déterminant en fondant l'United States Auto Club, organisme chargé de faire appliquer les règlements nationaux en matière de sport automobile.

◀ UN VAINQUEUR CORIACE

Bill Vukovich brandit l'énorme trophée Borg-Warner après sa victoire aux 500 Miles 1953, au volant de sa Fuel Injection Special à moteur Offy. Le pilote californien mène pendant 195 tours sur 200 après être parti en pole position. On voit derrière lui la grande tribune surnommée « la pagode », caractéristique du circuit rénové.

▼ LE DIESEL À INDY

Cette voiture Diesel de 6,6 litres à compresseur, dotée d'un moteur de série Cummins monté dans un châssis Kurtis spécial, court à Indy en 1950. Dès 1931, une voiture de course Diesel à moteur Cummins a couru à Indianapolis, finissant en treizième position.

Tony Bettenhausen,
Kurtis KK300C-Offy

INDIANAPOLIS

Le circuit d'Indianapolis est un rectangle à quatre angles arrondis, d'une longueur de 4 kilomètres, fait de deux lignes droites de 1 kilomètre et de deux de 200 mètres raccordées par quatre virages relevés de 400 mètres. Après la course de 1955, les briques sont recouvertes d'asphalte, mais, pour rappeler la tradition, une bande de brique est laissée apparente sur la ligne droite principale.

DÉPART/ARRIVÉE

▶ TRAGÉDIE

La dernière victoire d'une Kurtis à Indianapolis date de 1955, quand la KK500C (Kurtis Kraft) pilotée par Bob Sweikert remonte de sa quatorzième place sur la grille de départ. La course est interrompue par un carambolage multiple au 57e tour, dans lequel Bill Vukovich, déjà deux fois vainqueur, trouve la mort.

Jack McGrath,
Kurtis KK2000C-Offy

▼ RAPIDE, MAIS GOURMANDE

La plus rapide des machines d'Indy en son temps est la traction avant Novi Governor Special à châssis Kurtis dotée d'un moteur V8 à 4 ACT de 3 litres à compresseur. La Novi, qui consomme trop de carburant, doit céder devant les Blue Crown Special, moins puissantes.

▲ LA PRÉFÉRÉE

Marshall Teague engage cette Kurtis K4000 Fullerton Special aux 500 Miles de 1954, mais ne parvient pas à se qualifier. La K4000, modèle standard des clients de Kurtis, peut courir partout, des ovales de dirt-track à Indianapolis.

▶ DOUBLE VICTOIRE

La Belond Special de George Salih, pilotée ici par Jimmy Bryan, mène le peloton avant de signer son deuxième succès à Indy en 1958. En 1957, Salih avait persuadé l'ingénieur d'Offenhauser, Leo Goossen, de créer une nouvelle version du quatre-cylindres Offy, susceptible d'être inclinée presque à l'horizontale.

Fred Agabashian,
Kurtis KK500C-Offy

Jerry Hoyt,
Stevens-Offy

▲ C'EST PARTI !

Emmené par la Grant Piston Ring Special de Walt Faulkner, le plateau des 500 Miles de 1950 aborde le premier virage. La course reviendra à la Kurtis-Offy Wynn's Friction Special de Johnnie Parsons.

▲ HÉRITAGE FRANÇAIS

Cette Kurtis Kraft Belond Equa Flow Exhaust Special est pilotée par Johnnie Parsons à Indy en 1954. Toutes les voitures engagées dans cette course ont un moteur Offy, presque toujours une version 4,4 litres du moteur double arbre dont les origines remontent au moteur Peugeot de Grand Prix 1912.

Ansted Rotary Special

Lindsey Hopkins Special

John Zink Special

▶ PREMIÈRE LIGNE

La John Zink Special, construite par A. J. Watson et pilotée par Pat Flaherty, qui gagne les 500 Miles 1956, met fin au monopole de Kurtis. Les autres voitures sont la Lindsey Hopkins Special de Jim Rathman et l'Ansted Rotary Special de Pat O'Connor.

CHAMPIONNAT DU MONDE DES CONDUCTEURS
XVIIIE GRAND PRIX
MONACO
29 MAI 1960

1960-1970

L'INFLUENCE AMÉRICAINE

LES ANNÉES 60 apparaissent comme la période des changements les plus spectaculaires dans le monde de la compétition automobile, mutation dominée par l'affirmation rapide du concept du moteur arrière et l'acceptation du financement par des « sponsors » extérieurs à la discipline, dont l'intervention en Formule 1 est déterminante. Ce contexte existe depuis longtemps à Indianapolis, mais le remplacement des couleurs nationales par les livrées des sponsors cause un véritable choc sur les circuits de Grand Prix du monde entier. Tout aussi étonnante est la rapide disparition des moteurs avant. Le moteur arrière n'est pas une innovation, mais il avait jusque-là été considéré comme une exception à la norme. Le point de non-retour est atteint lors de la victoire de Cooper dans le championnat du monde 1959. Si aucune voiture à moteur arrière n'a remporté le titre mondial avant 1959, l'impact de la victoire de Cooper signifie qu'on ne verra plus jamais le moteur avant vainqueur. Seul Ferrari tente de résister, mais le géant italien ne tient qu'une saison avant de succomber à la nouvelle tendance et de remporter à nouveau le titre mondial.

1960-1970 Le Grand Prix d'Italie

L'AUTODROME DE MONZA, construit sur un ancien domaine royal, est inauguré en 1922. Le premier anneau de vitesse relevé est démoli en 1939, et le circuit routier est reconstruit neuf ans plus tard. Ce circuit est à son tour complété par un nouvel anneau aux virages relevés en 1955. Si la piste routière est reconditionnée à ce moment-là, le revêtement médiocre de l'anneau, jugé dangereux par les pilotes, entraîne un boycott massif du Grand Prix d'Italie 1960. Monza est le théâtre de courses passionnantes à la fin des années 60, lorsque Lotus et Matra luttent pour le titre.

Moteur huit cylindres à plat très bas

Pare-brise enveloppant

▲ COUSINE DE LA COX

Malgré les succès de Porsche dans bien des domaines du sport automobile, la firme a marqué le pas en Formule 1. En 1962, Porsche dévoile son Type 804 à moteur huit cylindres à plat, mais elle est déjà surclassée, et son pilote, Dan Gurney, abandonne à Monza, en disant qu'elle se comporte « comme une Coccinelle ».

▼ DEMI-LONGUEUR POUR MATRA

La Matra-Ford de Jackie Stewart mène la danse dans la Parabolique de Monza au Grand Prix 1969. Stewart bat Jochen Rindt d'une demi-longueur lors d'une des arrivées les plus serrées en Grand Prix. La victoire de Stewart lui vaudra le titre mondial.

▼ SUR LE POTEAU

Jack Brabham, ici au volant de sa Repco-Brabham, fait figure de vainqueur dans le Grand Prix d'Italie 1967. Il mène encore dans le dernier virage, mais est finalement doublé à la sortie par la Honda V12 de John Surtees.

Piers Courage et Brabham-Ford BT28

Jochen Rindt et Lotus-Ford 49B

MONZA

DÉPART/ ARRIVÉE

Monza est le foyer du sport automobile italien depuis 1922. Le circuit a été modernisé plusieurs fois. Il a été le théâtre de courses passionnantes dans les années 60, dont la célèbre victoire de Jackie Stewart en 1969.

▲ HORS JEU

Au volant de la légère BRM H16, Jackie Stewart n'est jamais dans le coup lors du Grand Prix 1967. Il doit s'arrêter pour réparer sa commande d'accélérateur, et des problèmes de moteur éliminent sa voiture dans le 46ᵉ tour.

Moteur DFV intégré à la structure

Suspension avant à triangles superposés

▲ HÉCATOMBE

La Lotus-Ford de Graham Hill apparaît comme la gagnante potentielle du Grand Prix 1967, jusqu'à son élimination sur panne de distribution. Malgré un tour de retard dû à une crevaison, la voiture de Jim Clark rattrape le terrain perdu, passe en tête jusqu'au dernier tour et tombe en panne sèche.

Aileron stabilisateur

▶ AÉRODYNAMISME

En 1968, Ferrari entreprend de sérieuses études d'aérodynamique pour les voitures de Grand Prix. Cette 246 FL, construite pour les courses de Tasmanie, est équipée d'un petit aileron arrière pour améliorer la stabilité.

Moustaches donnant de l'appui sur l'avant

Jo Siffert et Lotus-Ford 49B

Jackie Stewart et Matra-Ford MS80

Bruce McLaren et McLaren-Ford M7C

89

1960-1970 Le Grand Prix de Monaco

PROGRAMME DU GRAND PRIX DE MONACO

LORSQUE LE PREMIER Grand Prix de Monaco comptant pour le championnat du monde est organisé en 1950, le circuit a peu changé depuis l'avant-guerre. Mais un énorme carambolage dans les tout premiers tours de la course semble confirmer son obsolescence, et aucune autre manche du championnat n'y est organisée pendant cinq ans. Néanmoins, dans les années 60, cette épreuve devient la course la plus passionnante du calendrier. Après avoir établi un record de cinq victoires (en 1963, 1964, 1965, 1968 et 1969) sur cette piste particulièrement difficile, Graham Hill a été détrôné par Ayrton Senna, six fois vainqueur (1987, 1989, 1990, 1991, 1992 et 1993).

Trompettes d'admission *Échappement double*

▲ MATRA MANQUE ET PASSE

Jean-Pierre Beltoise apporte à Matra son premier succès en F1 dans une épreuve hors championnat au Cap en 1968, mais sa Matra V12 est moins heureuse à Monaco. Il heurte la chicane, endommage son train avant et doit abandonner.

▲ MALCHANCEUX

Lorenzo Bandini n'a vraiment pas de chance avec sa Ferrari lors du Grand Prix de Monaco 1964. De la septième place sur la grille, il remonte en quatrième position au 63e tour, mais doit abandonner cinq tours plus tard sur problèmes de boîte de vitesses.

Denny Hulme et McLaren-Ford

Jack Brabham et Repco-Brabham

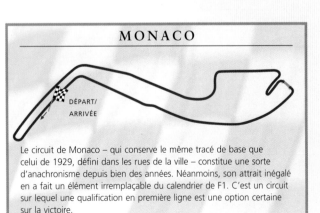

MONACO

DÉPART/ ARRIVÉE

Le circuit de Monaco – qui conserve le même tracé de base que celui de 1929, défini dans les rues de la ville – constitue une sorte d'anachronisme depuis bien des années. Néanmoins, son attrait inégalé en a fait un élément irremplaçable du calendrier de F1. C'est un circuit sur lequel une qualification en première ligne est une option certaine sur la victoire.

▲ SANS PITIÉ

Les contraintes très sévères imposées aux voitures par le profil tortueux du circuit de Monaco sont bien mises en évidence en 1968, quand la Honda V12 de John Surtees connaît de graves problèmes de boîte aux essais, bien qu'il signe le troisième temps.

▼ COURSE PAR ÉLIMINATION

Pour le Grand Prix de Monaco 1968, la célèbre chicane est déplacée plus près du Bureau de Tabac et resserrée. Plusieurs pilotes, qui se laissent prendre, abandonnent et seules cinq voitures – sur seize au départ – restent en course au quart de la distance.

Pedro Rodriguez et BRM

Jean-Pierre Beltoise et Matra V12

▲ LOINTAINE MASERATI

Malgré l'entrée en vigueur de la formule 3 litres, le Grand Prix de Monaco 1966 revient à la vieille garde. La Cooper-Maserati V12 de Jo Bonnier est une des deux 3-litres qui finissent, mais celui-ci est à 25 tours du vainqueur, Jackie Stewart, sur 2-litres BRM.

Moteur BRM V12

Position de conduite couchée

▲ GROS ENNUIS

Au volant de sa Cooper-BRM, le pilote italien Ludovico Scarfiotti mène une course difficile en 1968 à Monaco. Il heurte la chicane, éclate un pneu, et son moteur a des problèmes de soupapes. Mais Scarfiotti réussit à terminer avec quatre autres survivants.

▲ RÉGULARITÉ EN F1

Graham Hill signe en 1964 le deuxième de trois succès consécutifs à Monaco, avec la BRM V8. Mais il manque de peu le titre mondial à l'issue de cette saison quand, très retardé par une collision avec la Ferrari de Lorenzo Bandini dans le Grand Prix du Mexique, il perd toutes ses chances.

1960-1970 La Lotus-Ford Type 29 Indianapoli

LA COMBINAISON la plus ingénieuse et la plus efficace observée dans les Grands Prix d'après guerre résulte de l'association de Lotus et de Ford, qui unit l'insolent génie créatif et la passion des courses de Colin Chapman à la force inépuisable du constructeur géant. Les Lotus-Ford sont déjà très efficaces sur les circuits européens quand Colin Chapman, sollicité pour Indianapolis, se rend compte qu'il est désormais en mesure de construire une voiture capable de remporter les 500 Miles. Le résultat de cette collaboration a pour nom la Lotus-Ford 29, qui manque de gagner à Indianapolis dès sa première apparition, en 1963. Deux années plus tard, Jim Clark signe la victoire tant attendue, à la fois par Chapman et par Ford.

▲ COMME UNE PROMESSE

Jim Clark et sa Lotus 29 mènent devant deux rivaux dans un virage, au cours des 500 Miles 1963. Clark terminera à la deuxième place, mais on a pu dire que le vainqueur, Parnelli Jones, aurait dû être arrêté, car sa voiture perdait de l'huile sur la piste. Cette deuxième place de la Lotus marque néanmoins la fin de l'ancienne génération des voitures à moteur avant à Indy.

Volant garni de cuir *Compte-tours* *Sélecteur de vitesse*

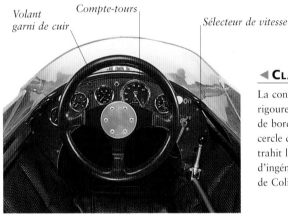

◀ CLAIRE ET NETTE

La configuration très rigoureuse de la planche de bord en arc de cercle de la Lotus 29 trahit la formation d'ingénieur aéronautique de Colin Chapman.

▼ DÉFI AU DESTIN

Conçue sur la base de la Lotus 25, la Lotus 29 est un peu plus longue et un peu plus large tout en respectant les principes de la construction monocoque type aviation. La voiture offre la position de conduite couchée chère à Colin Chapman, innovation à Indy. Elle ruine aussi une vieille superstition, selon laquelle piloter une voiture verte sur la piste en brique porterait malheur.

Réservoir d'essence avant *Pare-brise enveloppant*

Radiateur et réservoir d'huile dans le nez

LOTUS

Roue Dunlop compétition à serrage central

Outres d'essence dans les flancs

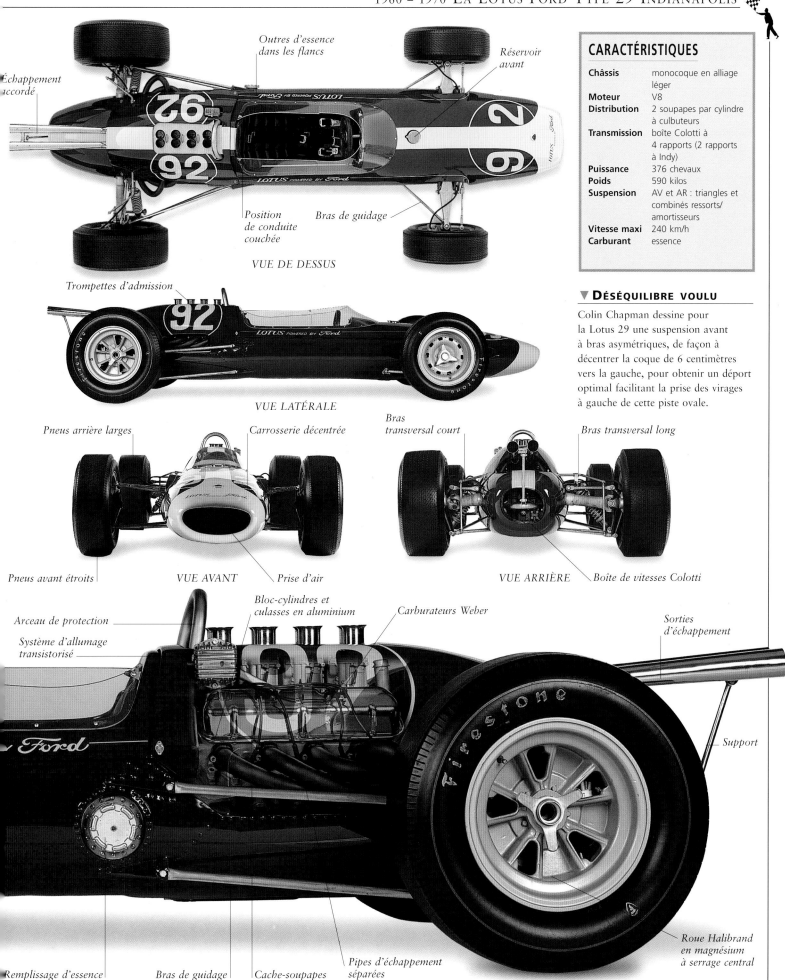

Échappement accordé

Outres d'essence dans les flancs

Réservoir avant

CARACTÉRISTIQUES

Châssis	monocoque en alliage léger
Moteur	V8
Distribution	2 soupapes par cylindre à culbuteurs
Transmission	boîte Colotti à 4 rapports (2 rapports à Indy)
Puissance	376 chevaux
Poids	590 kilos
Suspension	AV et AR : triangles et combinés ressorts/ amortisseurs
Vitesse maxi	240 km/h
Carburant	essence

Position de conduite couchée

Bras de guidage

VUE DE DESSUS

Trompettes d'admission

VUE LATÉRALE

▼ **DÉSÉQUILIBRE VOULU**

Colin Chapman dessine pour la Lotus 29 une suspension avant à bras asymétriques, de façon à décentrer la coque de 6 centimètres vers la gauche, pour obtenir un déport optimal facilitant la prise des virages à gauche de cette piste ovale.

Pneus arrière larges

Carrosserie décentrée

Bras transversal court

Bras transversal long

Pneus avant étroits

VUE AVANT

Prise d'air

VUE ARRIÈRE

Boîte de vitesses Colotti

Arceau de protection

Bloc-cylindres et culasses en aluminium

Carburateurs Weber

Sorties d'échappement

Système d'allumage transistorisé

Support

Roue Halibrand en magnésium à serrage central

Remplissage d'essence

Bras de guidage

Cache-soupapes

Pipes d'échappement séparées

1960-1970 Les 24 Heures du Mans

PROGRAMME
DES 24 HEURES
DU MANS

LE CIRCUIT DE LA SARTHE, au sud du Mans, est le théâtre de la plus célèbre épreuve d'endurance du monde. Instituée en 1923 sous la forme d'une épreuve de fiabilité et de rendement pour des voitures cataloguées, la course se déroule sur 24 heures, mais il y a déjà bien longtemps que la victoire ne peut plus revenir à un modèle de série. Les années 60 connaissent un duel au sommet entre Ford et Ferrari. Déçu de n'avoir pas pu prendre le contrôle de la marque italienne, Henry Ford II veut battre Ferrari sur le terrain de l'endurance et investit des sommes énormes dans la mise au point de voitures très performantes pour courir et vaincre au Mans.

Portes mordant sur le

Prise d'air
NACA

▲ LA MASSE DE DETROIT

Cette Ford MkIV de 7 litres confiée à Bruce McLaren et Mark Donohue termine quatrième au Mans en 1967. Ford a engagé quatre MkIV et trois MkIIB, toutes à moteur de 7 litres, aux côtés de trois GT40 de 4,7 litres. La MkIV pilotée par Dan Gurney et Anthony Joseph Foyt signe la première victoire totalement américaine au Mans.

Phares à hauteur
réglementaire

Prise d'air

▲ TRIOMPHE POUR FERRARI

L'épreuve qui se déroule en 1964 voit le premier engagement des Ford, mais la Ferrari pilotée par Jean Guichet et Nino Vaccarella signe la huitième victoire de la marque au Mans. La traditionnelle petite course à pied avant le départ, instituée en 1923, a pris le nom de « départ Le Mans ».

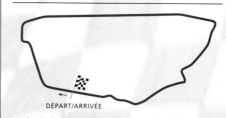

▲ CHARMEUR DE SERPENTS

Ninian Bolton et Peter Sanderson mènent cette AC Cobra à la septième place au Mans en 1963, faisant de cette voiture la première des machines britanniques. Des modèles de sport tel celui-ci, qui peuvent être engagés par des amateurs, sont encore fréquemment présents sur la grille de départ dans les années 60, malgré l'arrivée des gros bataillons.

▲ SUR TOUS LES FRONTS

Une Porsche Type 906 de 2 litres est pilotée par Poirot et Koch au Mans en 1967. Bien que toute l'attention soit portée au duel permanent entre Ford et Ferrari, Porsche engage en 1967 une gamme de modèles plus étoffée que celles des autres marques en se battant dans les catégories prototypes, sport et GT.

LE MANS

DÉPART/ARRIVÉE

Le circuit du Mans, composé de routes privées et d'une portion de route publique, a peu changé entre 1932 et 1967, année de l'introduction de la chicane Ford en vue de ralentir les voitures à la hauteur des stands pour plus de sécurité.

Turbine à gaz à l'arrière

▲ LA CLASSE

Cette petite Alpine Renault A210 remporte la catégorie 1 300 cm^3 en 1966, pilotée par Henri Grandsire et Leo Cella. Vaincre au Mans ne signifie pas être le premier sur la ligne d'arrivée après 24 heures de course. Le plateau comprend plusieurs catégories de cylindrée et une victoire de classe est tout aussi honorable qu'un succès absolu.

▲ VOITURE-LABORATOIRE

Le programme à long terme de la firme Rover pour le développement de la turbine à gaz automobile mène à l'engagement au Mans 1965 de ce beau coupé deux places. Piloté par Graham Hill et Jackie Stewart, ce sera la première voiture britannique à l'arrivée.

◄ SUPERCAR À L'ITALIENNE

L'Iso-Rivolta 5,3 litres de Barney et Pierre Noblet, engagée par la société Sonauto, mène devant un prototype Porsche 2 litres au virage d'Arnage durant l'édition de 1964.

▲ SURSAUT TRANSALPIN

A la suite de la terrible défaite de 1966, Ferrari engage sa toute nouvelle P4 de 4 litres dans l'édition de 1967. Si la victoire absolue revient à une Ford MkIV de 7 litres, cette P4 pilotée par Scarfiotti et Michael Parkes s'octroie la deuxième place et la catégorie 5 litres.

1960-1970 Lotus et la course

DANS LES ANNÉES 60 ET 70, les Lotus, qui semblent invincibles, remportent les championnats du monde constructeurs et pilotes. Sous la pression constante de son fondateur, Colin Chapman, la firme innove en permanence. Elle défriche les suspensions « actives » et l'effet de sol afin de coller la voiture au sol et d'augmenter les vitesses de passage en courbe. Souvent, Lotus observe le règlement jusqu'à la limite, et le révolutionnaire double châssis de la Lotus 88 soulève de telles controverses que la voiture est bannie dans trois Grands Prix en 1982. La formation aéronautique de l'ingénieur Chapman suscite nombre d'innovations, mais certaines de ses solutions ont acquis une réputation de fragilité.

▲ UNE GRANDE PREMIÈRE

La Gold Leaf Team Lotus 49B de 1968 remporte les deux championnats du monde : des pilotes pour Graham Hill, et des constructeurs pour ses créateurs. C'est la première voiture de F1 décorée aux couleurs de son sponsor principal.

Roues avant sous carénage

Cockpit très fermé

Appuie-tête profilé

▲ RÉCIDIVISTE DU SUCCÈS

La Lotus Eleven apparaît en 1956, habillée d'une carrosserie en alliage léger à revêtement travaillant conçue par Frank Costin. Ce modèle peut recevoir plusieurs types de moteur, allant de 750 cm³ à 2,5 litres.

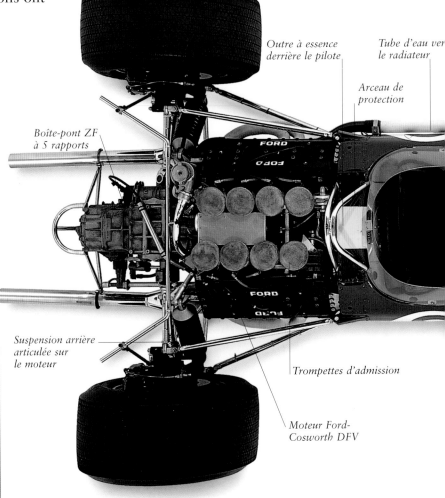

Outre à essence derrière le pilote

Tube d'eau ver[s] le radiateur

Arceau de protection

Boîte-pont ZF à 5 rapports

Suspension arrière articulée sur le moteur

Trompettes d'admission

Moteur Ford-Cosworth DFV

▲ INNOVATION

Toujours enclin à essayer de nouvelles solutions, Lotus construit en 1971 cette Type 56B de F1 à turbine à gaz et l'engage sous les couleurs de Gold Leaf Team Lotus dans plusieurs Grands Prix. Mais elle ne finit qu'une fois, quand Emerson Fittipaldi prend la huitième place du Grand Prix d'Italie à Monza.

▲ DÉBUT D'UN CONTE DE FÉES

La Lotus 49 de F1 est conçue par Maurice Phillipe pour recevoir le nouveau moteur V8 Ford-Cosworth DFV qui a été développé à l'instigation de Chapman, avec un financement de 100 000 livres de la part de Ford. Cette voiture, pilotée par Jim Clark, s'impose dès sa première sortie, le Grand Prix de Hollande 1967.

Bras de suspension profilé

Joint de jupe de ponton latéral

▲ POLYVALENTE

La Lotus Type 18 de 1960 a un châssis en treillis tubulaire dont la suspension nouvelle lui confère une meilleure stabilité. Cette voiture polyvalente courra selon diverses formules et avec des moteurs différents.

▶ APPUI AÉRODYNAMIQUE

La Lotus 78 « John Player Special » III est dotée de pontons latéraux à profil déporteur. Ces appendices augmentent l'appui aérodynamique et stabilisent davantage la voiture sur sa trajectoire.

Barre antiroulis

▶ LA FIN D'UN RÈGNE

La Lotus 29 à moteur Ford V8 de 4,2 litres de Jim Clark termine à la deuxième place à Indianapolis en 1963. Cette performance de Lotus met un terme à quarante années de domination des voitures propulsées par le moteur Miller/Offy à 2 ACT.

Outre à essence latérale

Suspension à bras triangulé et combiné

Entrée d'air de radiateur

Disque de frein dans le flux d'air

Découpe pour le coude

Triangle de suspension

Carrosserie en Kevlar

Suspension avant à roues poussées

▲ VITESSE PURE

La 98T à moteur Renault de 1986 est la dernière Lotus John Player Special. Cette voiture pilotée par Ayrton Senna a atteint la plus haute vitesse d'une Lotus en course, avec 346,24 km/h.

GRANDES DATES

1958	La première F1 de Lotus, la Type 12, termine sixième du Grand Prix de Monaco.
1960	Stirling Moss signe la première victoire en F1 d'une Lotus, au volant de la Type 18 conçue par Rob Walker, dans le Grand Prix de Monaco.
1963	Jim Clark remporte le championnat du monde des conducteurs avec une Lotus 25. La marque enlève aussi le championnat des constructeurs.
1965	Deuxième doublé en championnat du monde pour Jim Clark et Lotus. Clark gagne aussi à Indianapolis, avec une Lotus-Ford.
1967	La nouvelle Lotus Type 49 à moteur Ford-Cosworth domine la Formule 1 dès sa première participation.
1968	Graham Hill gagne le championnat du monde avec la Lotus 49B. La marque remporte le titre constructeurs.
1970	Jochen Rindt – qui se tue aux essais de Monza – remporte le championnat des pilotes à titre posthume. Lotus est encore champion du monde des constructeurs.
1972	Emerson Fittipaldi s'adjuge le championnat des pilotes avec la Lotus 72, et la marque celui des constructeurs.
1978	Mario Andretti remporte le championnat du monde des pilotes avec la Lotus 79. Lotus est champion du monde des constructeurs.
1981	La Lotus 88 à double châssis de Grand Prix est bannie de la Formule 1.

1960-1970 Le Grand Prix des Pays-Bas

PROGRAMME
DE
ZANDVOORT

LA HOLLANDE A DONNÉ quelques grandes figures du sport automobile, dont le talentueux concepteur de circuits John Hugenholtz. Avec plusieurs tracés à son actif, dont Suzuka et Jarama, Hugenholtz a créé Zandvoort dans les dunes de sable de la côte de la mer du Nord, dans son pays natal. Ouvert en 1949 avec le Grand Prix de Zandvoort de Formule libre, le circuit s'est bien vite révélé digne des meilleurs pilotes du monde. Malheureusement, on n'y trouve pas de Néerlandais, car les talents nationaux sont plus attirés par le rallye. Après quelques accidents spectaculaires, Zandvoort ne figure plus au calendrier des Grands Prix de Formule 1 depuis 1985.

▲ DOUBLÉ GAGNANT

Vainqueur du Grand Prix de Hollande 1968, Jackie Stewart pilote cette Matra-Ford. Son coéquipier, Jean-Pierre Beltoise, en 16e position sur la grille de départ, termine deuxième après une magnifique remontée.

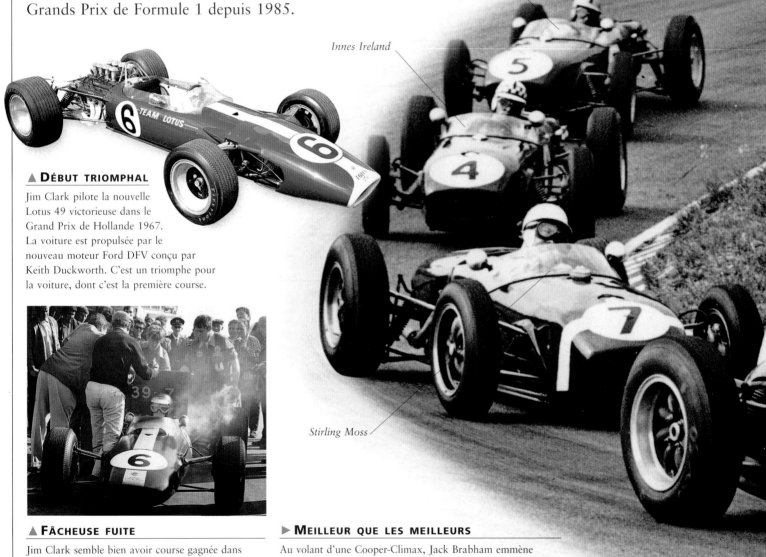

Alan Stacey

Innes Ireland

Stirling Moss

▲ DÉBUT TRIOMPHAL

Jim Clark pilote la nouvelle Lotus 49 victorieuse dans le Grand Prix de Hollande 1967. La voiture est propulsée par le nouveau moteur Ford DFV conçu par Keith Duckworth. C'est un triomphe pour la voiture, dont c'est la première course.

▲ FÂCHEUSE FUITE

Jim Clark semble bien avoir course gagnée dans le Grand Prix de Hollande 1968, avec sa Lotus 33 à moteur V8 Climax, avant qu'une fuite de la pompe à eau ne le force à s'arrêter à son stand au 78e tour. Il termine néanmoins troisième.

▶ MEILLEUR QUE LES MEILLEURS

Au volant d'une Cooper-Climax, Jack Brabham emmène le peloton dans le virage de Hunze Rug, peu après le départ du Grand Prix de Hollande 1960, suivi par l'équipe Lotus composée de Stirling Moss, Innes Ireland et Alan Stacey, et par la BRM de Jo Bonnier. Brabham gagnera la course.

Jim Clark

Jack Brabham

▲ AFFIRMATION D'UN CHAMPION

Graham Hill vient juste de remporter sa première épreuve de F1 à Goodwood, à la réunion de Pâques 1962, quand il mène à la victoire, sa première dans le championnat à Zandvoort, cette BRM à moteur V8 de 1,5 litre. Il gagne aussi les Grands Prix d'Allemagne et d'Italie, et reçoit le titre mondial.

▶ BAGARRE EN TÊTE

Luttant pour le contrôle de la course dans le Grand Prix de Hollande de 1966, la Brabham-Repco V8 de Jack Brabham prend le pas sur la Lotus-Climax 33 de Jim Clark. Brabham gagne nettement et Clark termine troisième.

Jo Bonnier

▼ LE CHAMPION DE MATRA

Jackie Stewart, portant son habituel casque orné du tartan, s'assure la victoire dans le Grand Prix de Hollande 1969 à Zandvoort, avec sa Matra MS80/02. Ce succès n'est qu'une des six victoires de la saison dans les Grands Prix de Formule 1 pour Stewart, qui remportera le titre mondial.

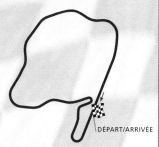

ZANDVOORT

DÉPART/ARRIVÉE

Au cours de la Seconde Guerre mondiale, les forces allemandes établirent des emplacements d'artillerie à Zandvoort. Les routes créées pour les desservir furent utilisées comme fondations pour le circuit construit après la guerre. Zandvoort est une piste difficile.

Jack Brabham

1960-1970 Ford et la course

« LE PUBLIC ne pense rien d'une voiture tant qu'elle n'a pas battu ses concurrentes », déclare Henry Ford au commencement de sa carrière. Il a compris que la course est, pour un constructeur, le meilleur moyen d'acquérir la notoriété. Dès 1901, alors qu'il recherche des capitaux pour fonder sa propre entreprise, Ford construit une voiture de course à deux cylindres dans le but de démontrer ses talents d'ingénieur. Tout au long de son histoire, la société Ford a continué d'exploiter le sport comme moyen de promouvoir ses produits. C'est ainsi que la firme a gagné tous les grands rallyes, signé quatre victoires au Mans et financé le moteur de Grand Prix le plus titré de l'histoire de la course, tout en continuant de produire des voitures de toutes sortes pour le grand public et dans le monde entier.

▲ UN V8 SUR LES BRIQUES

En 1935, Ford s'engage à Indianapolis avec une équipe de racers à moteurs V8 spécialement construits par Harry Miller. Mais une préparation trop hâtive cause la déroute des V8, dont les échappements, qui passent trop près des boîtiers de direction, brûlent le lubrifiant, entraînant des blocages de direction.

Roues Halibrand à écrous à trois oreilles

Vitres latérales fixes avec volet de ventilation

▲ PREMIERS RECORDS

La voiture de course « 999 » de Henry Ford a un moteur à quatre cylindres de 18,9 litres, mais n'a ni boîte de vitesses ni suspension arrière. Le champion cycliste Barney Oldfield, qui n'a jamais conduit d'automobile, établit plusieurs records avec la « 999 ».

▼ SUCCÈS À INDY

Cette Model T monoplace est dotée d'une culasse prototype à haute compression Frontenac. Lora L. Corum la mène à la cinquième place à l'arrivée des 500 Miles 1923, à la moyenne de 132,8 km/h, soit près de deux fois la vitesse maximale d'une Ford Model T de route.

▲ MALCHANCEUSE

La voiture de course « 666 » de Henry Ford de 1905 dérive de son Model K à six cylindres. Lors de la première course en Floride, le vilebrequin casse. Ford, pour réduire ses dépenses, vit sous la tente en attendant qu'on lui envoie de l'argent pour réparer sa machine.

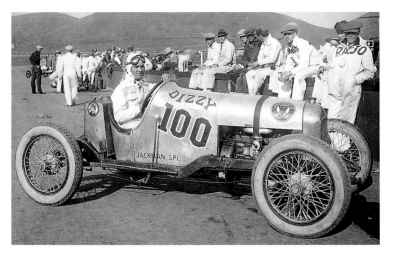

▼ FROIDEMENT RAPIDE

Cette super Model T « 999 II » atteint près de 174 km/h sur la glace du lac Saint-Clair, près de Detroit, en 1912. Au même endroit, en 1904, Ford avait battu le record du monde de vitesse pure à 147,4 km/h avec la première « 999 ».

▲ RACCOURCIE

La Fronty-Ford « Bob-Tail Racer » du pilote vedette de Ford « Speed » Hinckley, équipée d'une culasse à culbuteurs Rajo, sur la piste en bois de l'Ascot Speedway, en Californie, en 1927.

◀ UNE FAMILIALE DE COURSE

La Ford V8 Model 40 de Fred Frame gagne l'Elgin Road Race de 1933. Le V8, chef-d'œuvre de Ford, donne aux modèles de tourisme des performances de voiture de sport. Son lancement en 1932 éveille l'intérêt envers les courses sur circuit routier.

Porte mordant sur le toit pour faciliter l'accès

Remplissage des réservoirs-outres latéraux

▲ TRIPLE COURONNE

La GT40 (le 40 pour sa hauteur de 40 pouces), propulsée par un Ford V8 monté à l'arrière, apparaît comme le coupé de compétition le plus rapide du monde. La voiture est produite par le département Advanced Vehicles de Ford, créé en 1963 afin de développer un modèle capable de gagner les 24 Heures du Mans. L'investissement sera largement récompensé quand Ford prendra les trois premières places au Mans en 1966.

▲ RÉCIDIVISTE

La deuxième victoire de Ford au Mans en 1967 est obtenue avec une nouvelle GT Mark IV à coque en nid d'abeilles d'aluminium et moteur 7 litres de 500 chevaux. Dan Gurney et Anthony Joseph Foyt forment un équipage tout américain.

GRANDES DATES

1901 Henry Ford construit une voiture de course de 26 HP et bat la 40 HP du grand constructeur Alexander Winton.

1904 Aux commandes de la « 999 », Henry Ford établit le record du monde de vitesse sur terre à 147,4 km/h.

1909 Une Model T remporte la course New York-Seattle sur 6 462 kilomètres.

1923 La Ford T monoplace de Lora L. Corum finit cinquième aux 500 Miles d'Indianapolis.

1960 La Lotus-Ford de Jim Clark gagne une épreuve de Formule Junior sur 10 tours à Goodwood, première victoire du moteur 105E Anglia modifié par Cosworth.

1965 Une Lotus-Ford double arbre pilotée par Jim Clark remporte les 500 Miles d'Indianapolis.

1966 La GT40 de Ken Miles et Lloyd Ruby remporte les 24 Heures de Daytona.

1966 Ford signe un contrat de 100 000 dollars avec Cosworth pour le développement d'un tout nouveau moteur de Formule 1.

1966 Graham Hill, au volant d'une Lola-Ford, est le premier « rookie » depuis 1927 vainqueur des 500 Miles.

1967 Le moteur de Grand Prix Ford-Cosworth DFV remporte sa première course en Hollande.

1967 Une Ford GT40 Mark IV pilotée par Gurney et Foyt gagne les 24 Heures du Mans.

1968 La Ford GT40 n° 1075 gagne au Mans, pilotée par Pedro Rodriguez et Lucien Bianchi.

1969 Quatrième victoire au Mans pour la Ford GT.

1970-1980

EFFET DE SOL ET AÉRODYNAMIQUE

LES ANNÉES 70 ont connu maintes tragédies sur et hors de la piste, mais elles annoncent aussi une nouvelle période de la conception des voitures : les ingénieurs les plus créatifs explorent toutes les possibilités dans une quête permanente de la voiture idéale dotée d'un comportement sans faille. Une fois de plus, l'élan vient du brillant Colin Chapman, de Lotus, qui a déjà initié les changements majeurs introduits lors de la décennie précédente. Soutenu par une formation d'ingénieur aéronautique, Chapman produit la première voiture de Grand Prix à « effet de sol », dont le concept général rapproche la coque de la piste afin d'augmenter la réserve de stabilité de trajectoire en courbe. A la fin de la décennie, les voitures à effet de sol dominent la scène de la Formule 1, même si elles n'ont pas toutes le même succès. Moins heureuse encore est l'expérience de voitures à six roues, conçues pour réduire encore la surface frontale et améliorer la tenue en virage. L'aspect des voitures change rapidement, tandis que les constructeurs et les autorités sportives se livrent à des joutes d'interprétation. Les Grands Prix sont animés par les débuts de constructeurs américains pour la première fois depuis bien longtemps, et le pilote américain Mario Andretti s'impose en Formule 1.

◀ **HAUT LIEU**

Brands Hatch est un circuit important dans les années 70. Si sa piste sinueuse et étroite ne convient plus aux voitures de Formule 1 à la fin des années 80, Brands Hatch reste un tracé extrêmement intéressant.

▼ **LOBSTER CLAW**

La Brabham BT34 à radiateur frontal dédoublé de Ron Tauranac, dite la « Lobster Claw » (pince de homard), gagne l'International Trophy de 1971 à Silverstone.

1970-1980 Les courses de Brands Hatch

PROGRAMME DE BRANDS HATCH

LES ORIGINES des courses à Brands Hatch, dans le Kent, remontent aux années 30, époque où des compétitions motocyclistes de grass-track (pistes en herbe) sont organisées sur ces terrains ondulés. Une piste en dur se développe progressivement après la Seconde Guerre mondiale, à partir de la route périphérique de l'ancien aérodrome. Le site accède au statut de circuit de Formule 1 en 1964. Brands Hatch accueille en alternance le Grand Prix de Grande-Bretagne de 1964 à 1987. Puis la course est réservée à Silverstone pour une période plus étendue, car le circuit très étroit et sinueux de Brands Hatch est impraticable par la nouvelle génération des voitures de Formule 1.

▲ NOUVELLE FERRARI

Carlos Reutemann et sa Ferrari T3 sont en tête du peloton dans Paddock Bend, lors du Grand Prix de Grande-Bretagne 1978. Voiture totalement nouvelle créée pour la saison 1978, la Ferrari T3 ne reprend à la T2 que son moteur douze cylindres à plat et sa boîte transversale.

▲ TOUT SUCRE

Conçue par Richard Divila, la fine Copersucar FD04 est dotée d'un moteur Ford DFV et d'une boîte Hewland. Copersucar est le nom de l'organisme brésilien de commercialisation du sucre qui finance la voiture. Emerson Fittipaldi la mène à la sixième place du Grand Prix de Grande-Bretagne 1976.

BRANDS HATCH

DÉPART/ARRIVÉE

Utilisé pour des épreuves motocyclistes de grass-track avant 1939, Brands Hatch n'accueille les automobiles qu'en 1950. Homologué pour les Grands Prix au cours des années 60, Brands Hatch prend de l'importance dans les années 70.

▲ UNE VICTOIRE POUR RIEN

La Ferrari 312T2 mène devant la McLaren-Ford M23 de James Hunt au cours du Grand Prix de Grande-Bretagne 1976. Niki Lauda, parti de la pole position, mène jusqu'à ce que Hunt le passe au 45e tour et gagne l'épreuve, avant d'être disqualifié à la suite d'une enquête consécutive au carambolage du premier tour.

▲ TOUR CATASTROPHIQUE

Les Ferrari 312T2 de Niki Lauda et de son coéquipier Clay Regazzoni abordent au coude à coude le virage de Paddock Bend dans le premier tour du Grand Prix 1976, et les voitures se touchent. Lauda prend le large, Regazzoni part en tête-à-queue.

▼ CHAMPIONNE

Comme beaucoup de machines de Grand Prix victorieuses à leur époque, la McLaren M23 bénéficie du moteur Ford. Dès sa deuxième saison, 1974, la M23 remporte le championnat du monde des constructeurs pour le compte de McLaren.

James Hunt

▲ COMME UN VÉLO

Les sinuosités du circuit de Brands Hatch conviennent bien à la nouvelle Ferrari T3, introduite pour la saison 1978. Son châssis est conçu par Mauro Forghieri en fonction des nouveaux pneus radiaux ceinturés de Michelin. Carlos Reutemann exploite la tenue en courbe de sa monoplace pour remporter la course.

▲ ESPOIR À PLAT

La Tyrrell-Ford de Jody Scheckter remporte le Grand Prix de Grande-Bretagne 1974. La Ferrari 312B3 pilotée par Niki Lauda conserve la tête de la course jusqu'à ce qu'un pneu arrière se dégonfle. Lauda doit s'arrêter à son stand à l'avant-dernier tour en laissant la victoire à Scheckter.

Niki Lauda

Clay Regazzoni

▶ LOTUS ABSOLUE

Le Grand Prix de Grande-Bretagne 1972 à Brands Hatch est une des cinq victoires d'Emerson Fittipaldi et de la Lotus 72 cette année-là. La Lotus 72, première « John Player Special » noir et or, remportera 20 Grands Prix entre 1970 et 1975.

1970-1980 La Ferrari 312T4

LA LARGEUR DU DOUZE-CYLINDRES à plat équipant la Ferrari 312 apparaît comme un inconvénient lorsqu'il devient nécessaire d'envisager un châssis à effet de sol. Il n'y a pas d'espace sous la voiture pour créer les extracteurs d'air générateurs d'une succion qui confère aux voitures rivales à moteur en V une motricité nettement supérieure. La 312T4 corrige bien des défauts de la 312T3 précédente, et utilise une carrosserie profilée et un nez recourbé pour augmenter l'appui. La voiture fait ses débuts lors de la troisième manche de la saison 1979, le Grand Prix d'Afrique du Sud, qui se déroule à Kyalami. Après un départ retardé pour cause d'averse torrentielle, Gilles Villeneuve signe une brillante victoire avec la nouvelle voiture.

▲ DOUBLÉ GAGNANT

Cette Ferrari 312T4 permet à Jody Scheckter d'être couronné champion du monde des conducteurs en 1979, son coéquipier Gilles Villeneuve finissant deuxième. Ferrari empoche aussi le titre des constructeurs, quatrième succès en cinq ans de la marque italienne.

◄ INUSABLE

Le moteur douze cylindres à plat 2 991 cm³ de la 312T4 est déjà une vieille connaissance, qui remonte à 1969. Il donne sa puissance maximale au régime impressionnant de 12 300 tr/min.

▼ COMPROMIS AÉRODYNAMIQUE

Le douze-cylindres à plat perturbe le flux aérodynamique sous le fond de coque. La carrosserie profilée et le nez de la 312T4 représentent la meilleure tentative de l'usine Ferrari en vue de résoudre un problème qu'elle élude en partie en comptant sur l'habituelle préparation poussée de la voiture alliée à la puissance de son moteur, à une transmission fiable et aux pneus Michelin.

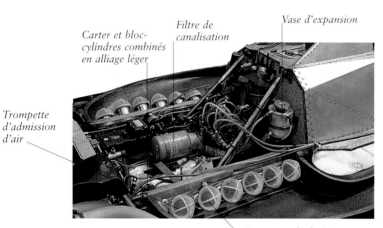

Vase d'expansion

Filtre de canalisation

Carter et bloc-cylindres combinés en alliage léger

Trompette d'admission d'air

Trompette d'admission

Ponton relevé pour souffler l'aileron

Arceau de sécurité

Appareillage électrique et boîtier d'injection sous carénage

Roues à serrage central à écrou rapide

Coque en fibre de verre contenant le réservoir

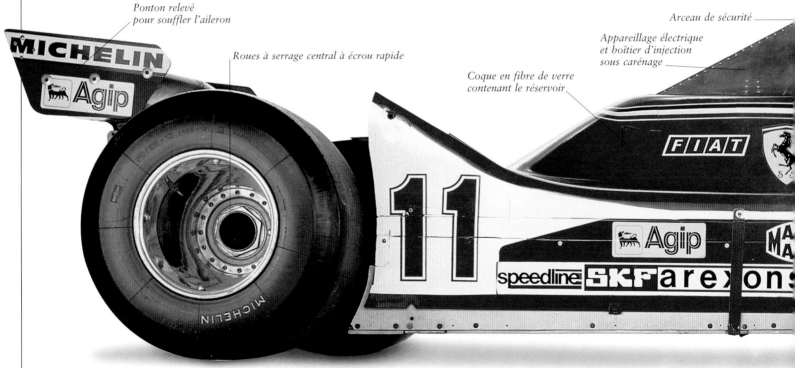

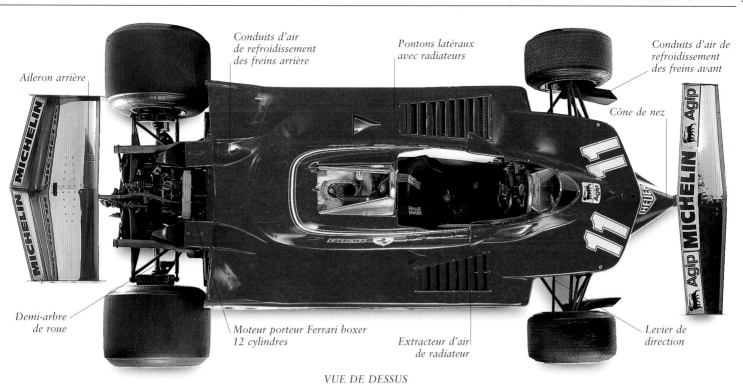

Aileron arrière

Conduits d'air de refroidissement des freins arrière

Pontons latéraux avec radiateurs

Conduits d'air de refroidissement des freins avant

Cône de nez

Demi-arbre de roue

Moteur porteur Ferrari boxer 12 cylindres

Extracteur d'air de radiateur

Levier de direction

VUE DE DESSUS

Feu stop arrière

Bras de suspension supérieur renforcé

VUE ARRIÈRE

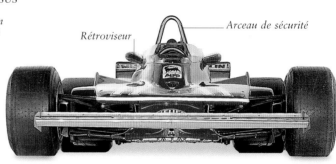

Rétroviseur

Arceau de sécurité

VUE AVANT

▲ UNE SILHOUETTE DISCUTÉE

Avec sa carrosserie large et son petit nez en cône, la T4 doit peu à sa devancière, la T3. L'aileron avant se révèle indispensable à la tenue de route, tandis que la fiabilité extrême du moteur et de la boîte est un facteur clé de la consécration dans le championnat 1979.

CARACTÉRISTIQUES

Châssis	monocoque	**Poids**	590 kilos
Moteur	V12 de 3 litres	**Suspension**	AV : basculeurs et ressorts hélicoïdaux ;
Distribution	4 soupapes par cylindre, 1 ACT par banc		AR : bras multiples et ressorts hélicoïdaux
Transmission	boîte transversale à 5 rapports	**Vitesse maxi**	275 km/h
Puissance	515 chevaux	**Carburant**	essence

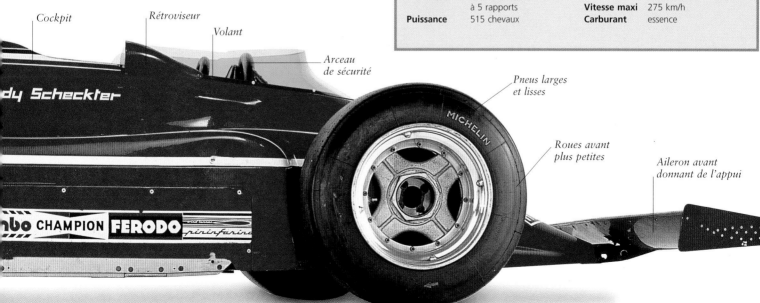

Cockpit

Rétroviseur

Volant

Arceau de sécurité

Pneus larges et lisses

Roues avant plus petites

Aileron avant donnant de l'appui

1970-1980 Les épreuves belges

PROGRAMME
DU GRAND PRIX
DE ZOLDER

PARMI LES CIRCUITS européens les plus difficiles, le circuit belge de Spa-Francorchamps est utilisé pour la première fois en 1924, pour une épreuve de 24 heures. Un Grand Prix y est organisé l'année suivante. Dans les années 30, Spa est le théâtre à la fois du triomphe et de la tragédie pour Mercedes-Benz, qui remporte deux Grands Prix, mais perd son pilote Dick Seaman dans un dramatique accident en 1939. Après la Seconde Guerre mondiale, l'épreuve de 24 heures est réservée aux voitures de tourisme. En 1970, le Grand Prix de Belgique déménage vers le circuit de Nivelles, près de Bruxelles, pour des problèmes de politique intérieure, puis pour Zolder, en pays flamand. En 1983, le Grand Prix revient à Spa.

▲ CAPRI DE COURSE

Hans Stuck Junior est au volant de cette Ford Capri RS V6 3 litres, associé à Jochen Mass dans les 24 Heures de Spa 1972. Ce sera l'une des huit victoires européennes et des neuf victoires allemandes du talentueux Stuck, âgé alors de 20 ans, fils du célèbre pilote d'Auto Union avant 1939.

▶ UN ÉVÉNEMENT ANNUEL

Départ des 24 Heures de Spa 1976, remportées par Jean-Marie Detrin et Nico Denuth. Qualifiée de « plus belle épreuve de l'année » par les passionnés, cette course a été ressuscitée en 1964, après onze ans d'interruption.

▲ APOGÉE

Le pilote français Didier Pironi relance les chances de l'écurie Ligier en 1980, en menant cette Ligier-Ford à la victoire à Zolder. Mais ce n'est qu'un répit. Deuxième du championnat du monde derrière Williams, Ligier figure à ce moment-là parmi les meilleures équipes.

▲ RÉVOLUTIONNAIRE

Le Grand Prix de Belgique 1977 revient au Suédois Gunnar Nilsson au volant de cette révolutionnaire Lotus-Ford 78. Il termine avec 14 secondes d'avance sur la Ferrari de Niki Lauda. Ce sera le point culminant de la carrière de Nilsson, tragiquement interrompue en 1978 par un cancer.

▲ LA PATTE DE POSTLETHWAITE

Cette 308C due à Harvey Postlethwaite est pilotée sur le circuit de Zolder en 1976 par Harold Ertl, de l'équipe Hesketh. La voiture doit abandonner sur problème de moteur. Ertl a succédé à James Hunt, qui a signé la seule victoire d'une Hesketh dans le Grand Prix de Hollande 1975.

▲ TOTALE RÉUSSITE

Tous phares allumés, une BMW Tourisme tourne au crépuscule lors des 24 Heures de Spa de 1976, épreuve souvent jugée comme plus prenante et plus passionnante que les 24 Heures du Mans. Gagner à Spa avec une voiture de ce type est considéré comme une réussite absolue dans cette discipline du sport automobile.

▲ CHAMPIONNE DE BAVIÈRE

On voit ici la BMW gagnante des 24 Heures de Spa 1976. Dans les années 70, les 24 Heures de Spa sont dominées par BMW et Ford. Le constructeur bavarois signe six victoires dans cette décennie, et son rival de Cologne, Ford, s'octroie le drapeau à damier les autres années.

▲ SPÉCIALEMENT RAPIDE

Préparée dans un atelier spécialisé de Cologne, la Ford-Weslake Capri V6 3 litres remporte les 24 Heures de Spa 1972 à la moyenne de 205 km/h.

▲ VICTOIRE ATTENDUE

Pedro Rodriguez apporte à l'équipe BRM un encouragement précieux en remportant le Grand Prix de Spa 1970, avec cette P160 conçue par Tony Southgate. C'est la première victoire de BRM en Grand Prix depuis celle de Stewart à Monaco en 1966.

▲ DÉFI AMÉRICAIN

Geoff Ferris est responsable de l'étude de cette Penske-Ford PC4 pilotée avec un certain succès par John Watson au cours de la saison 1976. Si Watson gagne en Autriche, il ne finit pourtant que septième à Zolder.

SPA

Initialement tracé sur des routes de la forêt des Ardennes, le circuit de Spa est reconstruit dans les années 70, après avoir été jugé trop dangereux. Mais le nouveau tracé conserve la plupart des éléments – comme le virage de l'Eau rouge – qui avaient fait le succès de l'ancienne piste.

DÉPART/ARRIVÉE

1970-1980 Porsche et la course

FERDINAND PORSCHE a déjà un certain âge quand naît en 1948 la marque portant son nom. A cette époque, il a une très longue carrière de concepteur et d'ingénieur. Ses nombreuses réussites vont de la création des Mercedes sport à compresseur des années 20 aux Auto Union de Grand Prix et à la Volkswagen, la « voiture du peuple », des années 30. Paradoxalement, l'humble Volkswagen est le point de départ des premières Porsche de sport. Par la suite, des types beaucoup plus élaborés créés par la dynastie Porsche deviendront des voitures légendaires dans des épreuves aussi exigeantes que Le Mans ou la Targa Florio.

▲ TRIOMPHALE TARGA

Edgar Barth et Umberto Maglioli pilotent ce coupé 904/8 jusqu'à la victoire en catégorie prototypes dans la Targa Florio 1964, en Sicile. Rompant avec la tradition Porsche, la 904 présente un châssis caissonné habillé d'une carrosserie en fibre de verre.

◄ CŒUR DE VW

La dernière création de Ferdinand Porsche est la 356 de sport. Sur la base mécanique de l'ancienne Volkswagen, Porsche crée un type sport-compétition aérodynamique à moteur arrière de 1 100 cm³, avec un centre de gravité abaissé et un comportement dynamique plutôt pointu.

Prises d'air arrière

Projecteurs doubles pour épreuves de nuit

Prise d'air centrale NACA pour refroidir la boîte

Prise d'air de cockpit

Quatre projecteurs

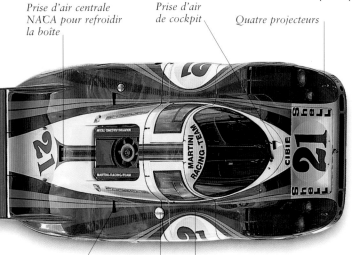

Prises d'air des freins

Remplissage d'essence

Porte articulée à l'avant

Prises d'air de refroidissement des freins à disques ventilés

▲ AÉRODYNAMIQUE SPÉCIALE

La version « Langheck » (longue queue) de la Porsche 917, dévoilée en 1970, reçoit une partie arrière allongée pour parfaire son aérodynamique et réduire sa consommation. Cette 917, propulsée par un moteur douze cylindres à plat de 4,9 litres, est engagée au Mans en 1972, pilotée par Vic Elford et Gérard Larrousse.

◄ COUPÉ « PAPILLON »

La Type 906 Carrera 6, présentée en 1966, a une carrosserie en fibre de verre similaire à celle de la 904, avec des portes dites « papillon ». Les voitures ont un six-cylindres à plat de 210 chevaux, ou un huit-cylindres à plat de 2,2 litres. Au Mans, en 1966, les 906 terminent quatrième, cinquième, sixième et septième.

► FILLE DE MICKEY

Développée à partir d'une version surbaissée de la RS surnommée « Mickey Mouse », la Type 718 RSK quatre cylindres 1,5 litre apparaît en course en 1957. Elle est alors développée sous la forme de ce type mixte Formule 2/ sport-compétition pour 1958. Jean Behra enlève l'épreuve de Formule 2 à Reims en 1958, dans une RSK à conduite centrale.

▲ AUX AVANT-POSTES

La réputée version « courte » de la Porsche 917 domine la course du Mans 1970 avec cette voiture de l'équipe JWA pilotée par Jo Siffert. Elle impose son rythme dès les premiers tours de la course. Jusqu'en 1998, Porsche aura gagné seize fois au Mans.

▲ CADEAU D'ANNIVERSAIRE

On voit ici, dans sa version 1997, la GT1 3,2 litres développée en réponse au défi de la McLaren Formula One, beaucoup plus coûteuse. En 1998, cette voiture apporte à Porsche sa seizième victoire au Mans. Porsche a ainsi toutes les raisons de fêter son cinquantième anniversaire.

Bras d'essuie-glace unique à pantographe

Remplissage d'essence

GRANDES DATES

1948	Première victoire d'une Porsche avec un succès de catégorie dans la course d'Innsbruck pour le prototype 356 n° 1, piloté par le neveu de Ferdinand Porsche, Herbert Kaes.
1970	Richard Attwood et Hans Hermann sur 917K remportent les premières 24 Heures du Mans pour Porsche.
1971	Deuxième victoire de Porsche au Mans avec la 917K 4,9 litres de Helmut Marko et Gijs Van Lennep, qui battent le record de distance avec 396 tours, 5 335 kilomètres et 222,23 km/h de moyenne.
1976	Victoire au Mans pour la 936.
1981	Porsche signe la première d'une série de 7 victoires consécutives.
1984	Niki Lauda remporte le championnat du monde des pilotes de F1 avec une McLaren-Porsche-TAG.
1985	Alain Prost remporte le championnat du monde des pilotes de F1 avec une McLaren-Porsche-TAG.
1986	Alain Prost remporte le championnat du monde des pilotes de F1 avec une McLaren-Porsche-TAG.
1996	Une TWR-Porsche WSC95 remporte les 24 Heures du Mans
1997	Une TWR-Porsche WSC95 remporte les 24 Heures du Mans.
1998	Une Porsche 3,2 litres GT1 remporte les 24 Heures du Mans.

▲ UNE LÉGENDE

Développée à partir de la 910, la Type 907 apparaît au Mans pour la première fois en 1967. Cette voiture a une surface frontale réduite et la direction à droite, qui permet aux pilotes de se placer mieux en virage sur un circuit tournant majoritairement à droite.

► PREMIER TYPE COURSE

La première Porsche développée spécifiquement pour la compétition est la Type 550, qui apparaît en version spider en 1953. Elle gagne au Nürburgring en mai. Sa carrosserie en aluminium, dessinée par Komenda, est montée sur un châssis en échelle avec suspensions avant indépendantes à barres de torsion et bras tirés et demi-essieux oscillants à l'arrière.

1970-1980 L'endurance en Amérique

TABLEAU D'AFFICHAGE DE DAYTONA

L'ENDURANCE EST NÉE aux États-Unis, où a été organisée la première épreuve de 24 heures en 1905. Depuis 1966, le centre des épreuves de longue durée est le « Trioval » Daytona International Speedway. Le circuit, construit dans les années 50 par Bill France, vétéran des épreuves classiques pour voitures de série organisées sur le Daytona Beach-Road Course, doit faire concurrence, sur la côte Est, à Indianapolis. Daytona accueille l'une des épreuves majeures de la NASCAR, la Daytona 500, qui, dans les années 70, attire des machines à aileron comme la Plymouth Superbird, la Dodge Charger Daytona, la Chevrolet Laguna et la Ford Thunderbird luttant furieusement pour la suprématie.

▲ EN FORCE

La Chevrolet Camaro de Les Kelly passe en force dans une courbe intérieure pour tenir en respect la Chevrolet Corvette très modifiée de Vince Muzzin, lors de la course Camel GT de 1975.

Preston Henn et Ferrari Daytona

Hoyt Overbaugh et Chevy Monza

▲ SÉRIE OU SILHOUETTE ?

Pilotant une Chevy Monza Coupé 2 + 2, Hoyt Overbaugh mène devant un groupe de coupés sport dans les virages intérieurs du circuit lors de la course Camel GT de 1977 à Daytona. A cette époque, les voitures de « série » engagées à Daytona sont construites spécialement avec des « carrosseries en blanc » fournies par les constructeurs uniquement en vue de la compétition.

▶ LES PONY-CARS EN TÊTE

Très transformée pour la compétition, la Ford Mustang II de Charlie Kemp mène dans une courbe intérieure dans la Camel GT de 1978. On voit, derrière la Mustang, une Jaguar XJ-S et deux Porsche 911.

▼ ESPRIT FORT

Ce coupé Chevrolet Corvette « Spirit of Sebring » du Benrus Team Corvette, piloté par John Greenwood et Mike Brockman, est une sérieux prétendant à la victoire aux 24 Heures de Daytona 1976.

Peinture spéciale

Aileron

▲ PLATEAU RELEVÉ

La Chevrolet Camaro Sport Coupé de Herb Jones et Steve Faul, suivie par une Corvette et une Porsche 911, mène la danse dans un des virages relevés de la piste lors des 24 Heures de Daytona 1976.

▲ BUICK DE COURSE

Gene Felton pilote sa berline Buick Skylark dans la Camel GT 1977. Considérée en principe comme une marque d'automobiles à vocation familiale, Buick est en fait un des plus anciens participants aux courses de production américaines.

▶ ARRÊT AU STAND

Cette Chevy Corvette est pilotée par Phil Currin dans la Camel GT 1977 à Daytona. La firme Chevrolet a été fondée par Louis Chevrolet, né en Suisse et très grand pilote-pionnier des courses américaines.

▼ EMPLUMÉE

Glenn Bunch pilote cette Dodge Challenger, bénéficiant d'un moteur V8 hémisphérique de 426 p. c. (7 litres) et munie d'un aileron arrière très détaché, dans la Camel GT 1978 à Daytona.

Bossage des carburateurs

DAYTONA

DÉPART/ARRIVÉE

Fierté de la région de Daytona Beach, le circuit triangulaire de 4 kilomètres entoure un lac sur un site de 153 hectares conquis sur les marais. La boucle intérieure et la chicane facultative complètent l'anneau aux courbes très relevées lors des épreuves pour voitures de sport.

"An Image of Victory"

1980-1990

LE RÈGNE DU TURBO

LES PERFORMANCES parviennent à leur apogée au milieu des années 80. Les puissances s'élèvent à des niveaux sans précédent lorsque les ingénieurs parviennent à maîtriser les forces gigantesques qui sont libérées par la suralimentation. L'avènement de systèmes de contrôle électronique sophistiqués gérant l'alimentation et l'allumage grâce à des ordinateurs de bord élargissent les possibilités et placent les minuscules moteurs de 1 500 cm³ à la limite entre le rendement maximal et la destruction totale. C'est une nouvelle bataille entre les ingénieurs et les autorités. Les limitations des dimensions des pneus et le niveau d'appui disponible signifient que les rendements, qui dépassent régulièrement 1 000 chevaux et qui atteignent parfois 1 250 chevaux, sollicitent à l'extrême la capacité de tenue de route du châssis. Cette situation ne peut évidemment être tolérée plus longtemps, notamment lorsqu'on atteint couramment plus de 320 km/h et que l'on dispose d'accélérations véritablement phénoménales. De nouveaux règlements réduisent spectaculairement la pression des turbos et, après quatre années fiévreuses, le règne du turbo en Grand Prix est interrompu.

◄ **CLASSIQUE AMÉRICAINE**

Le programme des 500 Miles d'Indianapolis 1985 évoque un glorieux passé. Cette classique américaine remonte à 1911.

▼ **FORZA FERRARI**

La Ferrari 156/85 de 1985 est la première voiture de Formule 1 turbo atteignant 1 000 chevaux, mais, en course, une puissance plus raisonnable de 880 chevaux est adoptée.

1980-1990 Le Grand Prix de France

LIGNE D'ARRIVÉE DU CIRCUIT PAUL-RICARD

UNE NOUVELLE GÉNÉRATION de circuits de Grand Prix a vu le jour dans les années 60 et, dès le début des années 80, le plus beau circuit est le Paul-Ricard, situé près de Toulon. Le Grand Prix de France (successeur de l'ACF) y est organisé de préférence au circuit rival de Dijon-Prenois. Ce superbe tracé est digne du pilote français Alain Prost, qui mène sa McLaren au titre mondial en 1985, 1986 et 1989. Mais, dans les années 1990, le Paul-Ricard est déclassé par une nouvelle installation située à Magny-Cours et construite aux normes internationales des Grands Prix avec l'appui du président François Mitterrand.

Aileron à fente

Suspensions à poussoirs

▲ PETIT BUDGET

Sans sponsor important, Tyrrell n'a qu'un budget limité en 1982, mais le concept de base de la 011 à moteur Ford est amplement révisé, avec une aérodynamique modernisée et une suspension à poussoirs. Michele Alboreto termine sixième au circuit Paul-Ricard, mais finit la saison sur une victoire à Las Vegas, États-Unis, premier succès pour Tyrrell depuis 1978.

▲ LA MENACE

Thierry Boutsen au volant de la Benetton-Ford B187 menace directement la Lotus-Honda d'Ayrton Senna dans les premiers tours du Grand Prix de France édition 1987, au Paul-Ricard. Mais la voiture de Boutsen doit abandonner au 31ᵉ tour sur panne d'entraînement de distributeur.

Alain Prost et Renault-Elf RE30B

Carénage de réservoir et capot moteur

Jupe coulissante

▲ AÉRODYNAMIQUE DE POINTE

Gilles Villeneuve pilote la Ferrari 126CK à moteur V6 dans le Grand Prix de France 1981 sur le circuit de Dijon-Prenois. La configuration aérodynamique à jupes coulissantes pose des problèmes à Villeneuve, qui est victime d'un accident aux essais.

▲ PROGRÈS NOTABLE

Alain Prost pilote la Renault-Elf RE30B, arrivée deuxième du Grand Prix de France 1982 au Paul-Ricard. La voiture est une version rajeunie du modèle 1981, avec une coque plus légère et plus rigide, et des suspensions révisées. Le moteur V6 à double turbo est réglé à 550 chevaux.

▼ IMPONDÉRABLE

Alain Prost est au volant de cette McLaren-Honda MP4/4 lors du Grand Prix de France 1988. La MP4/4, qui a un moteur V6 de 1,5 litre, est la dernière des McLaren-Honda à turbocompresseur. Si Ayrton Senna, son coéquipier, part favori, des problèmes de boîte le retardent, et Alain Prost le surprend en enlevant la course.

▲ VAINQUEUR CHEZ LUI

Lors du Grand Prix de France 1983 sur le circuit Paul-Ricard, la parfaite connaissance des lieux paie, car le vainqueur, Alain Prost, sur Renault EF1, qui a suivi des cours à l'école de pilotage installée sur ce circuit au début des années 70, en connaît tous les pièges.

PAUL-RICARD

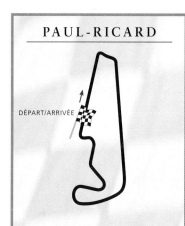

DÉPART/ARRIVÉE

Le circuit Paul-Ricard est caractérisé par une longue ligne droite dite du Mistral, qui se termine par la très rapide courbe de Signes. Cette ligne droite a été raccourcie à la fin des années 80, après un accident aux essais qui a coûté la vie au pilote Elio De Angelis.

▲ MALHEUREUX ANNIVERSAIRE

Riccardo Patrese part en deuxième ligne sur la grille, au volant de sa Brabham-BMW turbo, dans le Grand Prix de France 1983. C'est le jour de ses 29 ans, et il semble avoir toutes ses chances. Mais il doit abandonner au 19e tour, en raison d'une surchauffe moteur due à la perte de tout le liquide réfrigérant du circuit.

Niki Lauda et McLaren-Ford MP4B

▼ SORTIE PRÉMATURÉE

Andrea De Cesaris, au volant de cette Alfa Romeo 182 dans le Grand Prix de France 1982, est accidenté au 27e tour. La Tipo 182, une étude de l'ingénieur Ducarouge produite par l'atelier Autodelta, a une coque en fibre de carbone et nid d'abeilles, et un moteur V12 Alfa qui commence à dater.

Nouvelle carrosserie en 1982

▲ MAUVAIS DÉPART

Le Grand Prix de France 1987 au Paul-Ricard débute dans une totale confusion après qu'Andrea De Cesaris, dans sa Brabham, a heurté une McLaren. La course revient à Nigel Mansell, au volant d'une Williams-Honda FW11B.

1980-1990 La Jaguar XJR-9LM

LE DÉVELOPPEMENT de la Jaguar XJR-9LM commence en 1985, quand Jaguar donne son accord à la construction d'une nouvelle voiture destinée à disputer les 24 Heures du Mans. Le directeur de l'équipe, Tom Walkinshaw, a déjà commencé à construire la nouvelle XJR-6 de compétition conçue par Tony Southgate. Cette nouvelle Jaguar est à la pointe de la technique, avec un châssis entièrement fabriqué en Kevlar et fibres de carbone, tandis qu'un tablier judicieusement dessiné permet de monter le long moteur V12 le plus en avant possible pour une meilleure répartition des masses. Les saisons 1985 et 1986 démontrent le potentiel de la nouvelle Jaguar d'endurance, et, en 1987, une XJR-8 débute au Mans, sans réussir à vaincre. En 1988, la XJR-9LM, dotée d'une meilleure aérodynamique, remporte enfin cette grande classique de 24 heures.

▲ ANNÉE CHAMPIONNE

En 1988, la XJR-9LM, ici en tête de la course, signe la sixième victoire de Jaguar au Mans et remporte en plus le championnat du monde des voitures de sport. Il a suffi à Jaguar de deux saisons pour mettre fin à la suprématie de Porsche dans la catégorie des sport-prototypes.

Moteur V12 de 7 litres

Suspensions à combinés inboard

◄ LA PETITE SŒUR

Jaguar utilise une version de 7 litres de son réputé moteur V12 pour Le Mans, mais, aux États-Unis, où l'équipe Group 44 de Jaguar engage des XJR-5 et XJR-7 développées localement, les voitures sont dotées d'un moteur de 6 litres et 620 chevaux.

Aileron arrière

Antenne de télémétrie et de communication

Pare-brise moulé

Avant démontable

▼ MEILLEUR ÉCOULEMENT D'AIR

En adoptant des roues arrière plus petites, le concepteur Tony Southgate abaisse la caisse de la XJR-9 à l'arrière par rapport à la XJR-8 et, de ce fait, améliore l'écoulement de l'air autour de l'aileron.

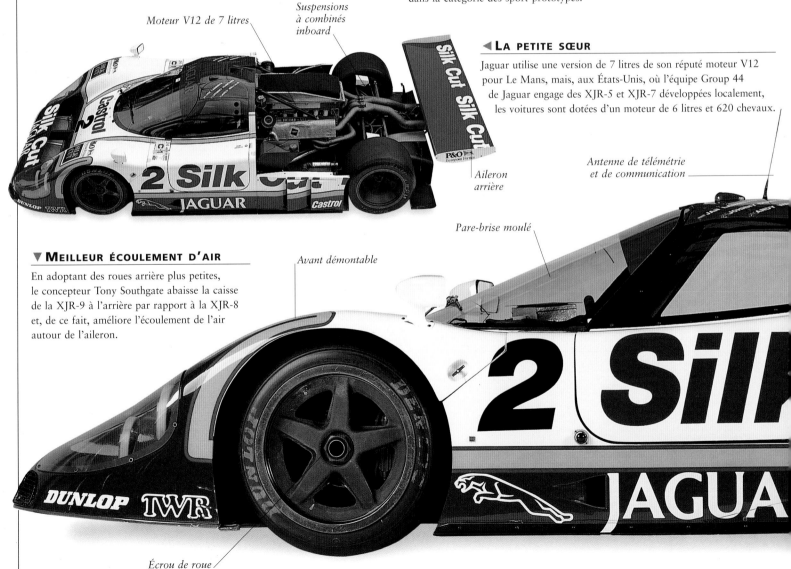

Écrou de roue

Projecteurs pour épreuves de nuit

Arrière aérodynamique

Roue de 17 pouces

Fond de coque avec extracteur d'air

Boîte de vitesses

VUE AVANT

VUE LATÉRALE

VUE ARRIÈRE

▶ APPUI

La carrosserie des Jaguar de compétition est conçue de façon à fournir un appui considérable. La configuration du moteur V12 permet d'intégrer au fond de coque des canaux d'extraction d'air qui confèrent à la voiture un avantage appréciable par rapport à ses rivales.

Prise d'air

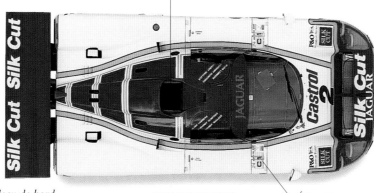

Tableau de bord

Siège ergonomique

VUE DE DESSUS

Étiquette de contrôle technique

CARACTÉRISTIQUES

Châssis	coque carbone/Kevlar
Moteur	V12 de 7 litres
Distribution	2 soupapes par cylindre, 1 ACT par banc
Transmission	boîte-pont à 5 rapports TWR/March
Puissance	720 chevaux
Poids	850 kilos
Suspension	AV/AR : combinés ressorts/amortisseurs, inboard à poussoirs à l'avant
Vitesse maxi	350 km/h
Carburant	essence

◀ CONÇUE POUR L'ENDURANCE

Le confort du pilote est indispensable au Mans, la course la plus contraignante dans cette spécialité. Le cockpit d'une machine d'endurance comme la XJR-9LM est copieusement garni d'instruments qui renseignent le pilote sur l'état de la voiture.

▼ CONTRÔLÉE

L'étiquette du contrôleur technique attachée à la voiture confirme qu'elle a été inspectée et admise à courir.

La catégorie réglementaire est indiquée par le code de l'étiquette, qui porte une lettre et un chiffre.

Remplissage du réservoir de 100 litres

Supports d'aileron

Aileron arrière

Roues arrière carénées pour renforcer l'effet Venturi sous la voiture

Prise d'air

Prise d'air NACA

1980-1990 Les McLaren

L'ÉCURIE FONDÉE par le pilote Bruce McLaren aborde la Formule 1 en 1966 avec le type M2B. Cette voiture, conçue par Robin Herd, est dotée d'une nouvelle carrosserie à revêtement travaillant, en sandwich de balsa entre deux feuilles d'aluminium. Malgré le décès de Bruce McLaren en 1970, la marque a poursuivi la production de voitures d'un intérêt exceptionnel du point de vue technique. McLaren utilise tour à tour des moteurs Ford, TAG-Porsche, Honda et Peugeot, mais, en 1995, la firme entame un partenariat à long terme avec Mercedes-Benz pour la fourniture de moteurs. McLaren a dominé en Grand Prix dans les années 80 et remporté huit fois le championnat du monde des constructeurs. McLaren a également signé une victoire bien méritée au Mans, avec la supercar Formula One.

▲ LE CHAMPION DE McLAREN

Le triple champion du monde Niki Lauda occupe le centre du peloton, avec sa McLaren-TAG MP4/2B, lors du Grand Prix d'Australie 1985. Cette voiture est une version rajeunie de celle avec laquelle il a remporté le titre mondial en 1984. Lauda abandonne après avoir quitté la piste sur tête-à-queue, et cette course marque son retrait de la compétition.

▲ PREMIÈRE COURSE, PREMIER SUCCÈS

McLaren adopte le nouveau moteur Ford DFV dès qu'il devient disponible pour toutes les équipes, en 1968. Ce moteur est installé dans cette McLaren M7A, qui remporte sa première épreuve, la Course des champions, hors championnat.

Suspension avant à poussoirs

Freins à disque en carbone

Aileron avant

▲ PANNE D'ORDINATEUR

Ayrton Senna pilote la nouvelle McLaren MP4/4, propulsée par le moteur Honda RA168-E, dans le Grand Prix d'Espagne 1988. Trompé par une jauge de carburant informatisée défectueuse, Senna perd du temps et ne termine que quatrième, tandis que son coéquipier Alain Prost remporte l'épreuve.

▲ PETITE DERNIÈRE

La MP4/1C de 1984 marque la fin du long partenariat entre McLaren et le moteur Ford DFV, qui avait apporté à l'écurie McLaren International une mémorable victoire dans le Grand Prix de Grande-Bretagne 1981. Le moteur Ford est remplacé par le nouveau moteur TAG à turbocompresseur.

Appuie-tête et prise d'air dynamique

Aileron avant intégré

▲ PERFECTION AÉRODYNAMIQUE

En 1998, les nouvelles réglementations tendent à réduire encore le potentiel des monoplaces de F1. La McLaren-Mercedes MP4/13 s'en sort en exploitant à fond les solutions aérodynamiques.

▲ NID D'ABEILLES

La McLaren-Ford M26 à châssis en nid d'abeilles qui succède à la M23 en 1977 est pilotée ici par James Hunt, lors du Grand Prix de Grande-Bretagne. Hunt ne terminera que cinquième du championnat mondial, malgré sa victoire l'année précédente avec une M23 âgée de quatre ans.

Prise d'air moteur

Carrosserie élargie

▲ FLANCS GONFLÉS

Avec son museau plat et son profil en bouteille de Coca-Cola, la McLaren M19 à moteur Ford bénéficie d'une suspension innovatrice à flexibilité variable. Avec elle, Denny Hulme prend la troisième place du championnat du monde 1972.

Aileron arrière

Coque en fibre de carbone

Roues en magnésium

▼ GAGNANTE AU MANS

La Formula One GTR est une version compétition de la McLaren M1 de route, capable d'atteindre 370 km/h. Équipée d'un moteur V12 BMW de 6,1 litres et 630 chevaux, elle gagne ses premières 24 Heures du Mans en 1995.

◄ BOISERIE

Avec sa coque réalisée en Malite, sorte de sandwich aluminium-balsa, la M2B à moteur V8 Serenissima de 1966 reflète bien les concepts aéronautiques de l'époque. Pilotée ici par Bruce McLaren dans le Grand Prix de Grande-Bretagne, elle termine sixième.

GRANDES DATES

1966	Début de l'équipe McLaren en F1 au Grand Prix de Monaco.
1974	Les premiers championnats du monde des constructeurs et pilotes de McLaren reviennent à Emerson Fittipaldi et à la M23 à moteur Ford.
1976	James Hunt remporte le championnat des pilotes avec cette Marlboro-McLaren-Ford M23.
1984	Les nouvelles Marlboro-McLaren-TAG Turbo MP4/2 gagnent 12 épreuves sur 18 et les championnats constructeurs et pilotes.
1985	Les titres mondiaux pilotes et constructeurs sont remportés par Alain Prost et la MP4/2B.
1986	Prost est champion du monde des pilotes avec la Marlboro-McLaren-TAG Turbo MP4/2C.
1988	Associé au moteur Porsche, McLaren établit une série record de 15 courses sur 16.
1990	Les championnats du monde pilotes et constructeurs sont remportés par Ayrton Senna et McLaren-Honda.
1991	Les championnats du monde pilotes et constructeurs sont encore enlevés par Ayrton Senna et McLaren-Honda.
1993	McLaren devient le constructeur de Formule 1 le plus titré, battant même Ferrari.
1995	La McLaren Formula One remporte les 24 Heures du Mans dès sa première participation.
1998	Les championnats du monde pilotes et constructeurs sont encore remportés par Mika Hakkinen et la McLaren-Mercedes (MP4/13).

1980-1990 La Lola Chevy

LES 500 MILES d'Indianapolis 1990 ont connu la plus haute moyenne de qualification jamais enregistrée, soit plus de 360 km/h. Sans surprise, la Lola à moteur Chevy-Indy pilotée par Arie Luyendyk termine à la moyenne record absolue de 299,5 km/h, après 2 heures, 41 minutes et 18,4 secondes pour parcourir les 800 kilomètres. Si le moteur porte l'emblème Chevrolet, le « nœud papillon », il s'agit en fait d'un Cosworth de deuxième génération conçu par deux anciens ingénieurs de Cosworth, Mario Ilien et Paul Morgan, soutenus financièrement par Chevrolet et Penske. Le châssis Lola, comme celui de toutes les autres voitures de la grille de départ, est construit en Angleterre pour un coût d'environ 143 000 livres (1 430 000 francs).

TABLEAU DE BORD À AFFICHAGE DIGITAL

▲ **FIN TACTICIEN**

Arie Luyendyk vole vers la victoire au volant de sa Lola Chevy dans les 500 Miles de 1990. Luyendyk effectue un arrêt au stand alors que les autres concurrents ralentissent pour respecter un drapeau jaune signalant un danger. De ce fait, il perd moins de temps par rapport aux autres et assure mieux sa victoire.

Tableau de bord à affichage digital

Témoin de pression d'huile

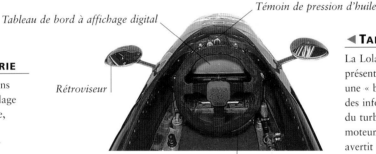

Rétroviseur

Volant détachable avec bouton de contrôle de la radio

▼ **DESSINÉE EN SOUFFLERIE**

La Lola Chevy est dotée d'ailerons à effet de sol qui génèrent un sillage de turbulences derrière la voiture, dissuadant les autres pilotes de suivre de trop près et de profiter d'un effet d'aspiration.

◄ **TABLEAU DIGITAL**

La Lola Chevy pilotée par Arie Luyendyk présente un tableau digital contrôlé par une « boîte noire » embarquée, qui affiche des informations vitales comme la pression du turbo, le débit d'essence et le régime moteur. Le gros témoin lumineux rouge avertit d'une baisse de pression d'huile.

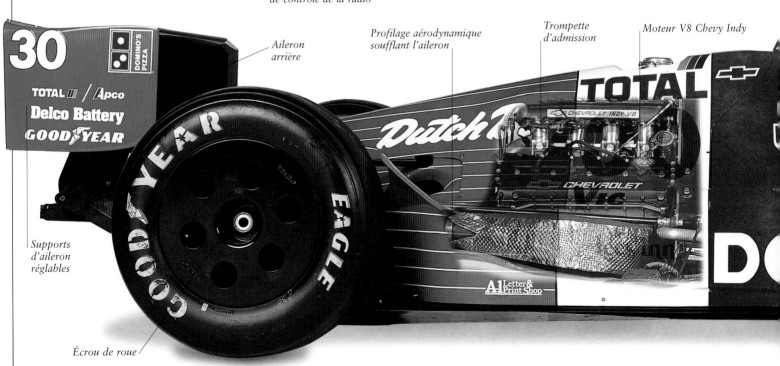

Aileron arrière

Profilage aérodynamique soufflant l'aileron

Trompette d'admission

Moteur V8 Chevy Indy

Supports d'aileron réglables

Écrou de roue

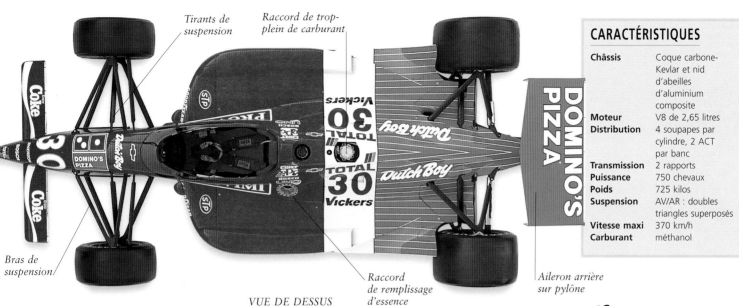

Tirants de suspension

Raccord de trop-plein de carburant

Bras de suspension

Raccord de remplissage d'essence

Aileron arrière sur pylône

VUE DE DESSUS

CARACTÉRISTIQUES

Châssis	Coque carbone-Kevlar et nid d'abeilles d'aluminium composite
Moteur	V8 de 2,65 litres
Distribution	4 soupapes par cylindre, 2 ACT par banc
Transmission	2 rapports
Puissance	750 chevaux
Poids	725 kilos
Suspension	AV/AR : doubles triangles superposés
Vitesse maxi	370 km/h
Carburant	méthanol

Cône de nez

Remplissage d'essence

VUE LATÉRALE

◀ **SUR MESURE**

Si les deux tiers des engagées aux 500 Miles d'Indianapolis de 1990 sont des Lola, chaque voiture diffère dans les détails, car chaque équipe modifie ses voitures en fonction de ses préférences personnelles en matière d'ailerons, de tarage des ressorts, de prises d'air et de détails de moteur.

Arceau de sécurité

Bras de guidage profilé

Antenne radio

Boîte-pont

Cône d'expansion pour effet de sol

VUE AVANT

VUE ARRIÈRE

Coque en fibre de carbone composite

Prise d'air des pontons

Pneus compétition Goodyear Eagle (4 trains par course)

Attache d'aileron avant

1980-1990 Le Grand Prix d'Espagne

SENNA
VICTORIEUX
EN 1986

LA FORMULE 1 réalise dans les années 80 des performances inédites, avec l'avènement de commandes électroniques sophistiquées pour gérer les moteurs à turbocompresseur. Le Grand Prix d'Espagne, pourtant, ne bénéficie pas d'une renaissance. L'épreuve s'installe à Jarama au début des années 80, lorsque le circuit concurrent de Montjuich est abandonné pour des raisons de sécurité. Mais Jarama n'a guère plus de succès : il accueille son dernier Grand Prix en 1981, et la Formule 1 semble bien déserter l'Espagne. Même le circuit de Jerez de 1986, qui bénéficie d'installations magnifiques, n'attire pas les foules, à cause de sa situation reculée. Les rares courses organisées en Espagne dans les années 80 sont dominées, comme ailleurs, par Williams et Ferrari.

▲ VICTOIRE FACILE

En 1980, Jarama est le théâtre d'une lutte entre l'autorité de tutelle du sport automobile, la FISA, et la FOCA, Association des constructeurs de Formule 1. La FISA déclare le Grand Prix d'Espagne illégal. Renault, Alfa et Ferrari s'abstiennent de participer, laissant le champ libre aux voitures à moteur Ford-Cosworth. La course est remportée par la Williams Saudia-Leyland d'Alan Jones.

Dérives d'aileron agrandies pour une meilleure aérodynamique

Dos de carrosserie abaissé pour un meilleur soufflage de l'aileron

▲ QUATRIÈME SEULEMENT

Nelson Piquet s'octroie le titre mondial en 1987, mais il ne finit qu'en quatrième position au Grand Prix d'Espagne 1987 à Jerez, avec sa Williams-Honda FW11B turbo de 950 chevaux.

Radiateurs dans les pontons

Carrosserie monopièce en Kevlar

Gilles Villeneuve

▲ LOTUS-RENAULT ACTIVE

Cette Lotus-Renault 98T avec laquelle Ayrton Senna gagne à Jerez en 1986 est une version rajeunie de la 97T turbo de 1985-1986, avec des aides aérodynamiques perfectionnées et un correcteur d'assiette hydraulique, qui compense automatiquement l'allègement de la charge de carburant.

▲ VICTOIRE D'UN CHEVEU

Pilotant la toute nouvelle Ferrari 126C V6 1,5 litre turbo, Gilles Villeneuve prend un superbe départ lors du Grand Prix d'Espagne 1981 à Jarama. Il remonte le peloton depuis la septième place sur la grille, pour l'emporter avec 0,21 seconde d'avance.

▼ MOTEUR MAISON

Martin Brundle pilote cette Zakspeed 871 jusqu'à la 11e place lors du Grand Prix d'Espagne 1987, mais la firme allemande a davantage de succès avec les Ford en Tourisme qu'en Formule 1. De 1985 jusqu'à 1989, la marque utilise ses propres voitures à moteur quatre cylindres turbo de 1,5 litre et monocoque en Kevlar et fibres de carbone.

▲ PHOTO FINISH

La Lotus-Renault d'Ayrton Senna mène devant la McLaren-Marlboro d'Alain Prost dans l'une des nombreuses courbes de Jerez, lors du Grand Prix d'Espagne 1986. Senna gagne la course avec 0,014 seconde d'avance sur la Williams-Honda de Nigel Mansell.

▲ SUCCÈS LIGIER-FORD

La Ligier-Ford JS11, conçue par Gérard Ducarouge, gagne facilement le Grand Prix d'Espagne 1979, prenant 20 secondes à la Lotus de Carlos Reutemann.

John Watson

Carlos Reutemann

JARAMA

Dessiné par le Hollandais John Hugenholtz, le circuit de Jarama, près de Madrid, doit être tracé sur l'étroite superficie d'un site de loisirs appartenant au Real Automovil-Club de España. Son installation dans ces conditions signifie que les organisations des Grands Prix sont menacées dès le début de l'affaire.

DÉPART/ARRIVÉE

▲ PILOTÉE PAR ORDINATEUR

Nigel Mansell gagne le Grand Prix d'Espagne 1987 à Jerez, au volant de sa Williams-Honda. C'est la huitième des neuf victoires de la saison remportées par Williams. Patrick Head a mis au point un système de correction d'assiette contrôlé par ordinateur que Williams utilise dans les derniers Grands Prix disputés au cours de cette année.

1990-2000

L'AGE
DE L'ÉLECTRONIQUE

AVEC LE RETOUR aux moteurs atmosphériques, les constructeurs et les législateurs sportifs engagent une autre bataille. Les règlements bannissent les aides électroniques gouvernant les systèmes de contrôle de motricité et de suspension qui augmentent les vitesses en courbe. La définition des pneus autorisés vise à limiter les vitesses. Les pilotes peuvent toujours dialoguer avec leur stand au moyen de liaisons radio à deux voies, et ils peuvent même recueillir les données enregistrées par les batteries d'ordinateurs, qui sont devenues l'équipement essentiel des stands. Néanmoins, les ingénieurs n'ont plus le droit de modifier le comportement ou le fonctionnement des voitures à distance au moyen de signaux électroniques émis depuis le stand. Dès lors que les voitures de Grand Prix utilisent des équipements empruntés aux avions de chasse, il est inévitable que des additions comme des « boîtes noires », ou enregistreurs d'accidents, et des structures à absorption d'énergie soient devenues obligatoires dans le cadre d'une recherche constante de la sécurité des pilotes.

1990-2000 Indianapolis

PROGRAMME
DES 500 MILES

À LA FIN DES ANNÉES 90, Indianapolis est devenu le foyer de la nouvelle formule Indy Racing League (IRL). Cette série d'épreuves est organisée à l'instigation du propriétaire de l'Indianapolis Motor Speedway, Tony Hulman George, afin de permettre aux concurrents disposant de budgets plus modestes de rester en lice. La course en Indy ou IRL impose un moteur de 4 litres atmosphérique issu d'un bloc de série, et le coût des voitures est limité à 385 000 dollars, soit environ 2 300 000 francs ou 335 000 euros. Les châssis sont des Dallara ou G-Force, et la majorité des voitures engagées sont propulsées par le moteur V8 Olds Aurora à 4 ACT. Naturellement, le nom d'Indianapolis est toujours synonyme de 500 Miles, épreuve qui attire un demi-million de spectateurs chaque Memorial Day.

Pneus radiaux de fabrication secrète

▲ PROVIDENCE

Eddie Cheever court les 500 Miles 1998 avec sa Dallara à moteur V8 Aurora. Après avoir pris le départ de 132 Grands Prix de Formule 1 sans en remporter un seul et n'avoir enfin trouvé un sponsor qu'une semaine avant la course – Rachel's Potato Chips –, il mène pendant 76 tours et gagne.

◄ AFFAIRE DE FAMILLE

Al Unser Senior, ici en 1972 au volant de sa Parnelli-Offy conçue par Maurice Phillipe, est un des deux seuls pilotes vainqueurs à quatre reprises des 500 Miles d'Indianapolis. Son fils, Al Unser Junior, gagne en 1994 au volant d'une Penske-Mercedes. Trois autres membres de la famille Unser ont également remporté cette course.

▶ MINUTE DE VÉRITÉ

Devant une foule considérable, Billy Boat s'aligne au départ des 500 Miles 1998 avec sa Conseco/A. J. Foyt. La Thomas Knapp Motorsports de Greg Ray est à sa droite, et la Dallara-Aurora de Kenny Brack est à l'extérieur.

Kenny Brack
et Dallara Aurora

Greg Ray et Thomas
Knapp Motorsports

▼ PRÊT AU DÉCOLLAGE

Billy Boat part en pole position avec sa Conseco/A.J. Foyt aux 500 Miles 1998 et mène pendant une douzaine de tours, jusqu'à son abandon sur blocage de transmission.

Aileron donnant de l'appui

Bras de guidage profilés

▲ LOLA ATTEND SON HEURE

Ces trois Lola T93/00 sont très menaçantes aux 500 Miles 1993. Mario Andretti, au centre, mène pendant 72 tours sur 200, mais un autre vétéran d'Indy, Emerson Fittipaldi, remporte la course avec une Penske-Chevrolet, Andretti terminant cinquième.

Prise d'air

Écrou de roue à oreilles

▲ LE PRIX DE LA SOIF

La V8 Dallara-Aurora du pilote suédois Kenny Brack mène au 87ᵉ tour des 500 Miles de 1998, quand elle commence à manquer de carburant. Un indispensable arrêt-ravitaillement fait reculer Brack en sixième position.

▲ L'ÉTOILE MONTANTE

Arrêt pour ravitaillement aux 500 Miles 1997 de la Menard G-Force-Aurora de la jeune étoile Tony Stewart. Vainqueur de la série Indy 1997, il ne remporte pourtant qu'une seule épreuve cette année-là. La voiture de Stewart mène à Indy pendant 64 tours et signe la moyenne la plus rapide sur un tour à 346,9 km/h, mais ne finit toutefois qu'à la cinquième place.

Billy Boat et [Cons]eco/A. J. Foyt

▲ ÉCLAIR VIOLET

Jimmy Kite pilote cette Royal Purple Synthetic/Synertec du Team Scandia lors des 500 Miles 1998. Parti en vingt-sixième position sur la grille, Kite remonte et réussit à terminer à la onzième place.

INDIANAPOLIS

DÉPART/ARRIVÉE

La configuration de l'Indianapolis Motor Speedway est identique à celle de 1911, bien que la piste ait été améliorée afin de permettre des vitesses jusqu'à 390 km/h. Il ne reste qu'une étroite bande de brique pour rappeler le bon vieux temps. Un circuit de Formule 1 est prévu sur le site.

1990-2000 Le Grand Prix du Japon

SI LE CIRCUIT DE SUZUKA accueille des épreuves internationales dès 1962, les premiers Grands Prix du Japon sont organisés à Fuji en 1976 et 1977. La course est alors absente pendant une décennie, mais, quand elle est recréée en 1987, elle est prévue à Suzuka. Le circuit, qui appartient à Honda, est à l'origine une piste d'essais. Suzuka est le théâtre de deux célèbres accrochages entre les grands rivaux, Alain Prost et Ayrton Senna. En 1989, leurs McLaren-Honda se heurtent, Prost ayant refusé d'ouvrir la porte à Senna. L'année suivante, alors qu'il est déjà en tête du championnat, Senna envoie la Ferrari de Prost hors de la piste dès le premier virage, manœuvre qui lui assure le titre mondial.

Pneus arrière lisses

Prise d'air de radiateur

▲ LUTTE DE GÉANTS

Michael Schumacher, avec sa Ferrari F310B, remporte le Grand Prix du Japon 1997. Il creuse l'écart avec Jacques Villeneuve, qui pilote une Williams. Le championnat 1997 est âprement contesté entre la Ferrari de Schumacher et la Williams de Villeneuve, jusqu'à la manche finale en Espagne, où la troisième place de ce dernier lui assure le titre.

▶ ÉGALITÉ HISTORIQUE

La victoire revient à la Marlboro-McLaren MP4/8 de Senna, à l'issue du Grand Prix du Japon 1993 à Suzuka. Ce succès, le 103e de McLaren, met cette équipe à égalité avec Ferrari.

Ayrton Senna et McLaren MP4/8

Williams

▲ McLAREN ARRIVE EN TÊTE

Le vainqueur du Grand Prix du Japon 1991 est Gerhard Berger sur McLaren MP4/6, voiture équipée d'un V12 de 3,5 litres développant 780 chevaux monté dans une monocoque en fibre de carbone. Ayrton Senna, qui pilote aussi pour McLaren, est deuxième. On voit en arrière-plan la célèbre grande roue qui domine le circuit de Suzuka.

▼ ÉPREUVE DÉCISIVE

Au volant d'une Williams FW18 propulsée par un moteur Renault V10 RS88, Damon Hill s'empare du titre mondial des pilotes de Formule 1 1996, grâce à sa victoire à Suzuka. Ce succès le place à 19 points devant son coéquipier Jacques Villeneuve, qui perd une roue de sa Williams au 37e tour.

Caméra de télévision embarquée

Aileron arrière donnant de l'appui

Aileron avant surbaissé

▲ AMPHIBIE

Michael Schumacher mène le Grand Prix du Japon 1994 au volant de sa Benetton-Ford B194 équipée d'un moteur V8 Ford-Zetec. L'Allemand termine deuxième et très près de la Williams de Damon Hill.

▲ VAINS EFFORTS

Rubens Barrichello pilote cette Sasol-Jordan au cours du Grand Prix du Japon 1994. Équipée d'un V10 Hart, la voiture doit être réparée à l'arrière droit après un accident aux essais. Il doit néanmoins abandonner en course, en raison de problèmes avec son sélecteur de vitesse.

▲ MAUVAIS CHOIX

Au volant de cette Williams-Renault, Damon Hill perd du temps lors du Grand Prix du Japon 1993, lorsqu'il glisse sur une flaque d'huile dans une courbe, après avoir imprudemment remplacé ses pneus pluie par des pneus lisses alors que la piste est encore mouillée. Il termine à la quatrième place, la victoire revenant à la Marlboro-McLaren de Senna.

McLaren

▲ COLLÉ À LA PISTE

Nelson Piquet remporte le Grand Prix du Japon 1990, avec cette Benetton B190 équipée d'un moteur Ford HBV8. Piquet avait réglé son aileron avec un maximum d'appui pour améliorer sa tenue de route en virage sur le tortueux circuit de Suzuka.

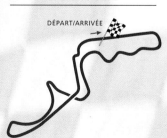

SUZUKA

DÉPART/ARRIVÉE

Construit en 1962, le difficile circuit de Suzuka, à Nagoya, est situé dans un parc de loisirs qui comprend même une grande roue. Son tracé en forme de huit est inhabituel en Formule 1.

131

1990-2000 Williams et la course

Williams APRÈS PLUSIEURS SAISONS comme pilote, Frank Williams devient constructeur en 1972, avec le soutien financier de Politoys. Mais il faut attendre 1979 pour que la marque connaisse ses premiers succès : la FW07 enlève cinq Grands Prix. L'année suivante, Williams remporte ses premiers titres mondiaux pilotes et constructeurs, et devient vite l'écurie à battre. Le pilote Keke Rosberg enlève son dernier championnat couru avec le moteur Ford DFV en 1982. La marque adopte ensuite le moteur Honda et, fin 1985, la Williams-Honda domine la Formule 1. La firme continue sur la voie du succès, malgré le grave accident de la route dont est victime Frank Williams en 1986, qui le laisse handicapé.

▲ APOTHÉOSE

Nigel Mansell pilote cette Williams-Renault lors de sa dernière saison en Formule 1, en 1992. Il termine champion du monde avec un nombre record de victoires en une saison (10) avant de piloter en Formule Indy.

▲ FIGURE LIBRE

La Williams-Renault FW17 à moteur V10 RS7 de David Coulthard s'envole dans le Grand Prix de Monaco 1995, après avoir heurté la Ferrari 412T de Jean Alesi au virage de Sainte-Dévote.

Suspension arrière

Radiateur

Tube d'eau

Plan principal d'aileron arrière

Pneu lisse

Moteur Renault V10 RS1

Prise d'air

Tube d'huile vers le moteur

▲ DOUBLÉ DE CHAMPIONS

Nelson Piquet prend la deuxième place lors du Grand Prix de Grande-Bretagne 1987, avec sa Williams-Honda FW11B, juste derrière son coéquipier Nigel Mansell. Williams va remporter le titre constructeurs pour la deuxième année consécutive.

▲ WILLIAMS-RENAULT

En 1990, deuxième année du moteur Renault chez Williams, le team termine quatrième du championnat du monde malgré deux victoires, à Saint-Marin et en Hongrie. Le premier pilote, Riccardo Patrese, prend son 200e départ de Grand Prix à Silverstone cette année-là.

MATURITÉ CONFIRMÉE

Avec le soutien financier des responsables de Saudi Arabian, la Williams FW07C de 1981 est dérivée de la FW07B à effet de sol, qui a valu à Williams le titre mondial des constructeurs l'année précédente. La classe de la voiture est confirmée quand Alan Jones apporte à Williams un deuxième titre constructeurs (avec Carlos Reutemann).

▲ VICTOIRE MÉRITÉE

Damon Hill espère remporter le Grand Prix de Grande-Bretagne 1996 avec sa Williams-Renault, cependant un roulement de roue en décide autrement, et il doit abandonner. Son coéquipier Jacques Villeneuve s'octroie la victoire.

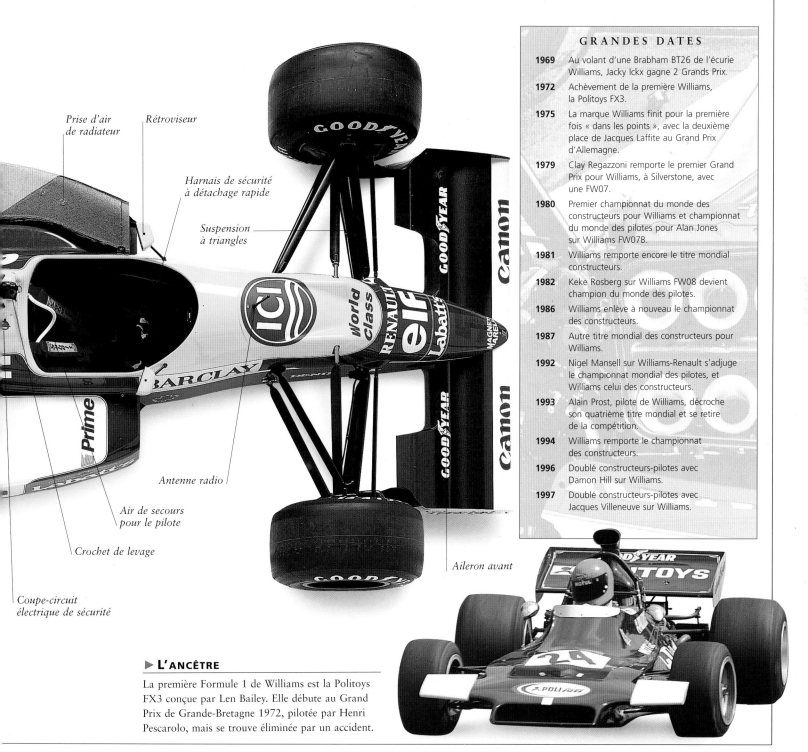

Prise d'air de radiateur

Rétroviseur

Harnais de sécurité à détachage rapide

Suspension à triangles

Antenne radio

Air de secours pour le pilote

Crochet de levage

Coupe-circuit électrique de sécurité

Aileron avant

GRANDES DATES

1969 Au volant d'une Brabham BT26 de l'écurie Williams, Jacky Ickx gagne 2 Grands Prix.

1972 Achèvement de la première Williams, la Politoys FX3.

1975 La marque Williams finit pour la première fois « dans les points », avec la deuxième place de Jacques Laffite au Grand Prix d'Allemagne.

1979 Clay Regazzoni remporte le premier Grand Prix pour Williams, à Silverstone, avec une FW07.

1980 Premier championnat du monde des constructeurs pour Williams et championnat du monde des pilotes pour Alan Jones sur Williams FW07B.

1981 Williams remporte encore le titre mondial constructeurs.

1982 Keke Rosberg sur Williams FW08 devient champion du monde des pilotes.

1986 Williams enlève à nouveau le championnat des constructeurs.

1987 Autre titre mondial des constructeurs pour Williams.

1992 Nigel Mansell sur Williams-Renault s'adjuge le championnat mondial des pilotes, et Williams celui des constructeurs.

1993 Alain Prost, pilote de Williams, décroche son quatrième titre mondial et se retire de la compétition.

1994 Williams remporte le championnat des constructeurs.

1996 Doublé constructeurs-pilotes avec Damon Hill sur Williams.

1997 Doublé constructeurs-pilotes avec Jacques Villeneuve sur Williams.

▶ L'ANCÊTRE

La première Formule 1 de Williams est la Politoys FX3 conçue par Len Bailey. Elle débute au Grand Prix de Grande-Bretagne 1972, pilotée par Henri Pescarolo, mais se trouve éliminée par un accident.

La série NASCAR

LOGO D'ANNIVERSAIRE

L'AUTORITÉ SPORTIVE régentant les épreuves de voitures de production aux États-Unis, la NASCAR – National Association for Stock Car Racing –, est fondée en 1948. Cette passionnante discipline découle des courses organisées sur le sable durci de Daytona Beach, en Floride, et des épreuves de vitesse disputées sur la piste en cendrée de Charlotte, en Caroline du Nord. Aujourd'hui, la NASCAR est une discipline nationale américaine soutenue par les grands constructeurs. Si les moteurs et les châssis sont développés pour la compétition, les constructeurs s'efforcent de laisser aux voitures de course une apparence extérieure permettant de les identifier aux modèles de série, afin d'en promouvoir les ventes.

▲ PILEUSES DE MILES

Les voitures concurrentes de la Winston Cup Spring Race 1996 tournent à des moyennes de 225 km/h sur le Dover Downs International Raceway. Surnommé le « Monster Mile », le circuit très relevé de Dover est situé sur la presqu'île du Delaware, à l'est de Washington DC.

▲ VITE ET TOUT DROIT

Courant dans l'épreuve June 500 de 1998, Kyle Petty déboule sur la ligne droite du Ponoco International Raceway, en Pennsylvanie, avec sa Pontiac Grand Prix.

▼ EN RESPECT

La Chevrolet Monte Carlo de Ricky Cravin tient ici en respect la Ford Thunderbird pilotée par Bill Elliott sur le Rockingham Speedway, en Caroline du Nord, un circuit relevé qui accueille deux épreuves annuelles de 800 kilomètres (500 miles).

▶ CHASSEUR DE CHEVY

Terry Labonte est ici en pleine action lors de la prestigieuse course Daytona 500, en Floride, au volant d'une Chevy Monte Carlo. Labonte remporte la Winston Cup de la NASCAR en 1984 et 1996.

▼ LA RONDE DES MENEURS

La tête de la course change quinze fois lors de la Daytona 500 de 1992. Davey Allen, au volant de cette Havoline Ford Thunderbird, prend le commandement à cinq reprises avant de remporter la course.

Logo du constructeur

Déflecteur arrière

▲ COURTE TÊTE

Victoire de justesse pour la Chevy Lumina Morgan-McClure Kodak Film dans l'épreuve phare de la NASCAR en 1994, la Daytona 500. Ernie Irvan est deuxième sur Ford Thunderbird.

Filet de protection

Avant profilé

▲ DOUBLÉ GAGNANT

Dale Jarrett, ici au volant d'une Ford Taurus 1998, est le seul pilote à avoir remporté deux épreuves de la NASCAR, la Daytona 500 et l'Indianapolis 400, la même année, en 1996.

Jeff Burton et Ford T-Bird

Ward Burton et Pontiac Grand Prix

◄ CHAUDE ARRIVÉE

Ward Burton, sur Pontiac Grand Prix, est serré de près par un groupe de furieux dans le dernier des onze virages de Watkins Glen, dans l'État de New York, lors de la course « Bud at the Glen », une des manches les plus passionnantes du calendrier de la NASCAR dans les années 90.

Arceau-cage de sécurité

Carrosserie construite à la main

► ÉGALITÉ-FRATERNITÉ

Bobby Labonte, ici au volant de sa Chevrolet Monte Carlo, et son frère Terry, deux fois vainqueur de la Winston Cup, sont les seuls frères tous deux vainqueurs des championnats des séries majeures de la NASCAR.

▲ PROFITEURS

Profitant ici d'un drapeau jaune qui fige la course, des concurrents s'entassent devant les stands du Rockingham Speedway, en Caroline du Nord, qui accueille des épreuves de 800 kilomètres depuis 1965.

La McLaren-Mercedes MP4-13

1990-2000

CONÇUE EN FONCTION du nouveau règlement introduit en 1998 afin de brider les performances des voitures de Formule 1, la McLaren-Mercedes MP4-13 demande plus de 12 000 heures d'études en soufflerie. Elle doit aussi répondre aux nouvelles normes de sécurité, très contraignantes, qui élèvent de moitié les seuils de résistance aux chocs. La voiture bénéficie d'un châssis moulé en fibre de carbone et nid d'abeilles en aluminium composite qui comporte des structures anticollision avant, arrière et latérales, et un réservoir intégré. Son moteur Mercedes-Benz V10 3 litres à 4 ACT tout aluminium est en fait une production de la firme britannique Ilmor, réalisée par une équipe conduite par Mario Ilien.

▲ CHALLENGE

Le pilote finlandais Mika Hakkinen remporte le championnat mondial pour McLaren en 1998, avec cette MP4-13, après une lutte passionnante avec la Ferrari de Michael Schumacher, qui dure jusqu'à la fin de la saison.

▶ MOTEUR POIDS PLUME

La McLaren-Mercedes MP4-13 est propulsée par un V10 à 72 degrés tout aluminium à 2 ACT par banc de cylindres. L'ensemble moteur-embrayage pèse juste 107 kilos.

▼ PURE ET SÛRE

Le profil particulièrement pur de la McLaren-Mercedes 1998 recèle tout un ensemble de solutions de sécurité, dont une structure en composite résistant aux chocs une fois et demie plus solide que celle de l'année précédente.

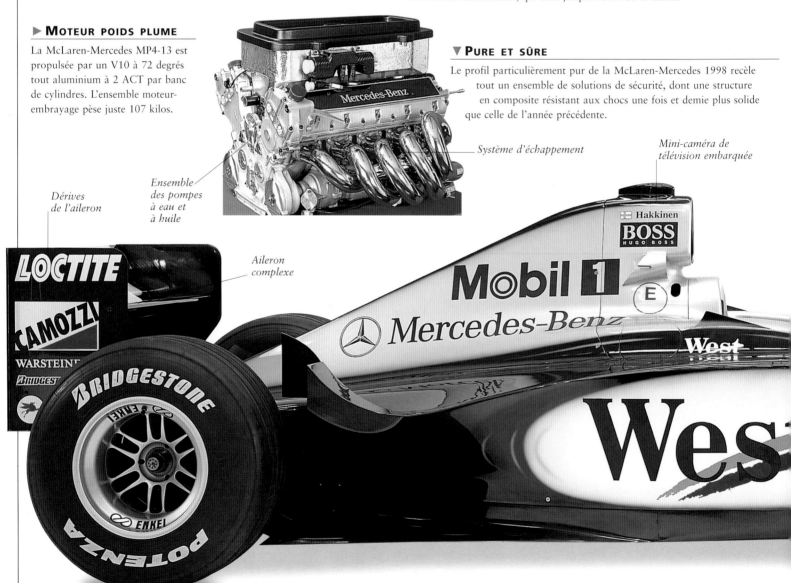

Système d'échappement

Mini-caméra de télévision embarquée

Dérives de l'aileron

Ensemble des pompes à eau et à huile

Aileron complexe

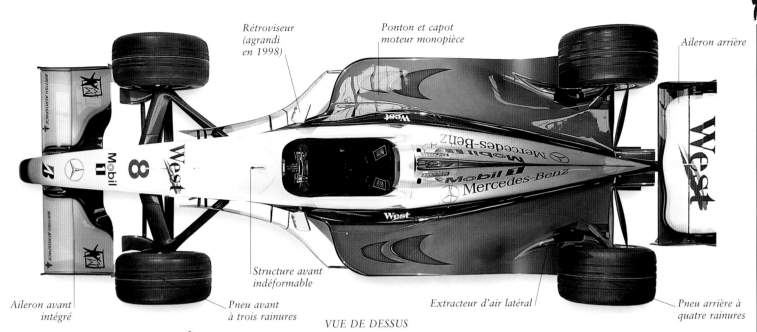

Rétroviseur (agrandi en 1998)

Ponton et capot moteur monopièce

Aileron arrière

Structure avant indéformable

Aileron avant intégré

Pneu avant à trois rainures

Extracteur d'air latéral

Pneu arrière à quatre rainures

VUE DE DESSUS

Structure indéformable intégrant les prises d'air moteur

VUE AVANT

VUE ARRIÈRE

▲ DESSINÉE PAR LE RÈGLEMENT

Le nouveau règlement de la Formule 1 a dicté les formes de la MP4-13. Les règles de 1998 imposent une carrosserie légèrement plus longue, avec une voie plus étroite, une largeur minimale du châssis et un positionnement plus avancé des structures anticollision.

Rétroviseur

Structure avant indéformable

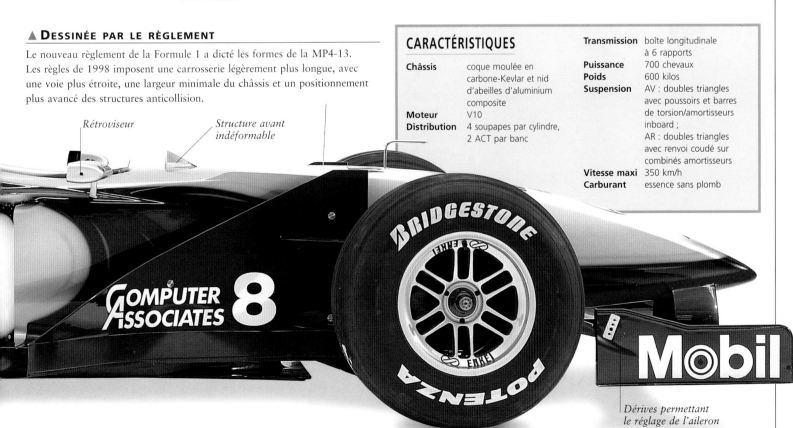

Dérives permettant le réglage de l'aileron

CARACTÉRISTIQUES

Châssis	coque moulée en carbone-Kevlar et nid d'abeilles d'aluminium composite
Moteur	V10
Distribution	4 soupapes par cylindre, 2 ACT par banc
Transmission	boîte longitudinale à 6 rapports
Puissance	700 chevaux
Poids	600 kilos
Suspension	AV : doubles triangles avec poussoirs et barres de torsion/amortisseurs inboard ; AR : doubles triangles avec renvoi coudé sur combinés amortisseurs
Vitesse maxi	350 km/h
Carburant	essence sans plomb

1990-2000 Le Grand Prix d'Australie

TRIBUNE D'ADÉLAÏDE

SI L'AUSTRALIE a organisé son premier Grand Prix dès 1928, il faut attendre 1985 pour y voir une épreuve du championnat du monde, lorsque la ville d'Adélaïde construit un circuit au centre du Victoria Park Racecourse. Avec le soutien du Premier ministre d'Australie-Méridionale, un accord est conclu avec la Formula One Constructors' Association, et le Grand Prix d'Australie devient l'une des épreuves les plus suivies du calendrier de la Formule 1. Le circuit d'Adélaïde est ensuite supplanté par Melbourne, mais il demeure dans la mémoire comme l'un des meilleurs tracés urbains consacrés à la course automobile.

▼ HORS JEU

Cette Dallara à moteur Ford est une des habituées des fonds de grille au cours de la saison 1990. Le Grand Prix d'Adélaïde ne fait pas exception : les deux Dallara doivent abandonner au quart de la course.

Jean Alesi (Ferrari)

Gerhard Berger (Ferrari)

Michael Schumacher (Benetton-Ford)

Alain Prost (Williams-Renault)

▲ CRÉPUSCULE D'UNE MARQUE

La marque Brabham décline irrémédiablement en 1990, quand cette BT59 à moteur V8 Judd court à Adélaïde. Le pilote, Stefano Modena, ne peut obtenir mieux que la 12e place.

▲ GRAND CHEF

Après deux faux départs, la McLaren MP4/8 d'Ayrton Senna emmène le peloton dans le premier virage du circuit d'Adélaïde, lors du Grand Prix d'Australie 1993. Senna gagne la course, et McLaren dépasse alors Ferrari au nombre des victoires accumulées en Grand Prix (104 contre 103).

▼ ÉCHEC POUR LOTUS

En 1990, Lotus produit cette Type 102 équipée d'un moteur V12 Lamborghini 3,5 litres. Ce n'est malheureusement pas vraiment une réussite ; elle doit abandonner avant la mi-course dans le Grand Prix d'Australie.

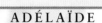

▲ APOGÉE D'UN CHAMPION

Alain Prost mène devant son coéquipier Damon Hill, tous deux sur Williams-Renault FW15, dans le Grand Prix d'Australie 1993. Prost deviendra champion du monde cette année-là.

◄ PIÈGE POUR UN PILOTE

Cette Williams-Renault FW16B V10 est pilotée par Damon Hill à Adélaïde en 1994. Hill perdra le championnat d'un point après avoir été impliqué dans une collision pendant la course.

ADÉLAÏDE

DÉPART/ARRIVÉE

Adélaïde est un circuit très rapide, avec un enchaînement éprouvant de virages à droite serrés et une longue ligne droite où, dans les années 80, les voitures de Grand Prix pouvaient atteindre leur vitesse maximale. Il a été remplacé par Melbourne en 1996.

*Damon Hill
(Williams-Renault)*

► PLUS DE PEUR

Martin Brundle survit à cet accident qui casse en deux sa Jordan-Peugeot, après un tête-à-queue et une collision avec la Sauber-Ford de Johnny Herbert dans le Grand Prix de Melbourne 1996.

▼ CHAMPION DU MONDE

Michael Schumacher pilote cette Benetton dans le Grand Prix d'Adélaïde. Dotée d'un moteur V8 Ford Zetec-R, la voiture lui permet d'empocher le titre mondial des pilotes en 1994.

*Ayrton Senna
(McLaren-Ford)*

GRANDES FIGURES DE LA COURSE AUTOMOBILE

3

La course automobile est une affaire d'hommes autant que de machines, car, sans les grands pilotes, les grands ingénieurs et les grands directeurs d'écurie, les voitures ne seraient rien. La supériorité mécanique est sans valeur si elle ne s'accompagne pas des talents qui maximisent ses potentiels, qu'il s'agisse d'une habileté sans pareille au volant ou de la faculté d'exploiter une faille du règlement pour produire une voiture qui le contourne avec avantage ! Les personnages présentés ici font partie des plus grands noms de la course automobile, personnages brûlant d'une commune ambition d'aller toujours plus loin et plus vite. Mais, malgré leur désir illimité de vaincre, ces gens ont été aussi, comme le déclara une personne autorisée du monde automobile, « des gars qui aiment seulement vivre avec les voitures ». Leurs rêves sont demeurés intacts, et c'est ce qui rend si spéciale la compétition automobile.

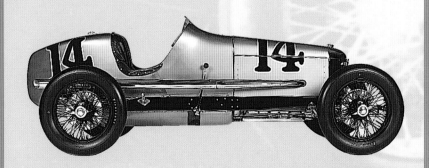

A

MARIO ANDRETTI
Né en 1940

Mario Andretti, né en Italie, mais naturalisé américain, a choisi de devenir pilote professionnel après avoir assisté au Grand Prix de Monza 1954. Cinq ans après, Andretti émigre aux États-Unis, où il pilote dans les courses de stock-cars (voitures de production). Il progresse rapidement vers les

MARIO ANDRETTI

épreuves de championnats de l'USAC, spécialité dans laquelle il devient l'un des pilotes les plus titrés de sa génération. En 1968, il court en Formule 1. Au cours des quatorze années qui suivent, il dispute 128 Grands Prix et en remporte 12. Il arrive au sommet en 1978, en devenant champion du monde des pilotes de Formule 1. Andretti gagne aussi beaucoup d'autres courses, dont les 500 Miles d'Indianapolis, 4 championnats Indycar et la Daytona 500 de la NASCAR.

ALBERTO ASCARI

ANTONIO
1888-1925
ET ALBERTO ASCARI
1918-1955

Le pilote italien Antonio Ascari obtient sa première victoire en course en 1919, au volant d'une Fiat Grand Prix 1914. Peu de temps après, il prend une agence Alfa Romeo et inspire alors la création de la Tipo ES 20/30 de sport. Il aborde les Grands Prix avec l'Alfa Romeo P2 et remporte ceux d'Italie 1924 et de Belgique 1925, avant de se tuer accidentellement alors qu'il se trouve en tête du Grand Prix de l'ACF 1925 disputé à Montlhéry. Le fils d'Antonio Ascari, Alberto, commence à courir à moto avant de se voir offrir un volant pour participer à la Mille Miglia 1940. En 1946, il est engagé par la Scuderia Ambrosiana, soutenue par l'usine Maserati, et signe sa première victoire au Circuit de Modène en 1947. En 1949, il rejoint l'écurie Ferrari et gagne 33 Grands Prix de Formule 1 et de Formule 2. Il est champion du monde en 1952 et 1953. Il remporte aussi la Mille Miglia 1954. Alberto Ascari se tue en essayant en privé une Ferrari à Monza, trente ans exactement après l'accident qui a coûté la vie à son père.

B

WOOLF BARNATO
1895-1948

Fils d'un milliardaire britannique du diamant, « Babe » Barnato hérite la fortune paternelle à l'âge de 2 ans. A 25 ans, il commence à courir à Brooklands avec une Locomobile 8 litres. Il achète sa première Bentley en 1925 et se décide très vite à soutenir la société Bentley en apportant 100 000 livres. En retour, il obtient un volant dans l'équipe officielle. Pilote de très grand talent, Barnato gagne trois fois de suite les 24 Heures du Mans pour Bentley.

DEREK BELL
Né en 1941

Derek Bell est un des pilotes d'endurance britanniques les plus titrés. Il remporte ses premières 24 Heures du Mans en 1975 au volant d'une Gulf-Mirage GR8, avec Jacky Ickx comme copilote. Le même équipage gagne encore en 1981 avec une Porsche 936 et en 1982 avec une Porsche 956. Bell remporte Le Mans deux fois, en 1986 et 1987, avec une Porsche 926C.

DEREK BELL

BHANUBAN BIRABONGSE
1914-1985

Le prince thaï Bhanuban Birabongse pilote sous le pseudonyme de B. Bira, débutant à l'âge de 20 ans avec une Riley Imp en 1935. Pour ses 21 ans, son cousin et directeur d'écurie, le prince Chula, lui achète une des nouvelles ERA 1 500 cm³. Avec cette voiture, B. Bira obtient 10 premières, 8 deuxièmes et 5 troisièmes places entre 1935 et 1939. Il pilote aussi des Delage et des Maserati. Après la Seconde Guerre mondiale, Bira reprend le volant de Maserati avant de se retirer en 1955.

SIR HENRY BIRKIN
1896-1933

En 1921, le pilote britannique (futur sir) Henry « Tim » Birkin commence à courir à Brooklands avec une DFP à carrosserie en bois, pour se détendre de ses obligations professionnelles. Celles-ci le contraignent pourtant à déserter la piste jusqu'en 1927, année où, avec son frère Archie, ils pilotent une Bentley 3 litres. Peu après, Birkin devient pilote à temps plein. Avec son coéquipier Jean Chassagne, il termine cinquième au Mans en 1927, avec une Bentley 4,5 litres d'usine. Il obtient alors le moyen de monter sa propre affaire à Welwyn, dans le Hertfordshire. Il a déjà le projet de produire des versions à compresseur de la Bentley 4,5 litres. Après la reprise de Bentley par Rolls-Royce, Birkin pilote des Bugatti, des Alfa Romeo et des Maserati. Il meurt d'une septicémie consécutive à de graves brûlures au bras dues à l'échappement de sa voiture lors des essais du Grand Prix de Tripoli 1933.

SIR HENRY BIRKIN

GEORGES BOILLOT
1885-1916

Le pilote de Peugeot débute au volant de voiturettes Lion-Peugeot en 1908 et obtient sa première victoire à Caen l'année suivante. Avec l'ingénieur Ernest Henry, le Français Boillot fait partie de l'équipe spéciale de compétition qui développe le premier moteur de Grand Prix à 2 ACT. Ce groupe équipe la Peugeot Grand Prix de 1912 que Boillot mène à la victoire dans le Grand Prix de l'ACF de cette année-là. En 1913, il remporte à la fois la Coupe de l'Auto et le Grand Prix, au volant de Peugeot de 3 litres et de 5,7 litres à 2 ACT. Mais les performances supérieures de l'équipe allemande Mercedes le contraignent à l'abandon lors du Grand Prix de l'ACF 1914 à Lyon. Boillot, pilote de chasse, meurt en combat aérien en 1916.

GEORGES BOILLOT

PIETRO BORDINO
1890-1928

L'Italien Pietro Bordino devient pilote officiel chez Fiat à l'âge de 18 ans. Il court à Brooklands en 1913, avec une Fiat de 28,3 litres et 300 chevaux donnée pour 290 km/h, mais sa carrière après la guerre est souvent marquée par des défaillances mécaniques alors qu'il semble avoir course gagnée. Pourtant, en 1922, il remporte le Grand Prix des voiturettes et le Grand Prix catégorie 2 litres lors de la réunion d'ouverture du circuit de Monza. Bordino court sur Bugatti en 1928, après le retrait de Fiat de la compétition. Lors du Circuit d'Alessandria (en Italie) 1928, au volant d'une Bugatti Type 35, il heurte un chien errant, plonge dans une rivière bordant la piste et se noie.

SIR JACK BRABHAM
Né en 1926

Né en Australie, Jack Brabham émigre en Angleterre en 1955 et décide de courir pour Cooper. Le succès ne tarde pas, et il est champion du monde en 1959 et 1960. En 1961, il quitte Cooper pour fonder sa propre écurie de Formule 1. La nouvelle Brabham-Climax BT3 fait ses débuts en Grand Prix l'année suivante. La première victoire d'une Brabham arrive trois ans après au Grand Prix de l'ACF, 1964. Brabham obtient de la firme australienne

Repco qu'elle développe une version 3 litres de son moteur V8 utilisé dans les épreuves de Tasmanie. Il remporte le Grand Prix de l'ACF 1966 avec ce nouveau moteur Brabham-Repco et devient ainsi le premier pilote vainqueur d'un Grand Prix au volant d'une voiture portant son nom. Il abandonne la compétition en 1970 et est anobli en 1984.

TONY BROOKS
Né en 1932

L'Anglais Tony Brooks débute en Formule 2 en août 1955, au volant d'une Connaught, et termine quatrième derrière trois voitures de Formule 1. Pour sa première course en Formule 1, il remporte le Grand Prix de Syracuse 1955, en Sicile, avec une Connaught, première victoire d'une voiture britannique depuis 1924. Il pilote pour la malchan-

TONY BROOKS

ceuse équipe BRM en 1956 et passe chez Vanwall en 1958, pour qui il remporte les Grands Prix de Belgique, d'Allemagne et d'Italie. Il partage aussi, avec Stirling Moss, le volant de l'Aston Martin qui remporte le Tourist Trophy du RAC en 1958. Il entre chez Ferrari en 1959 et termine deuxième du championnat du monde de cette année-là. Il se retire en 1961.

JACK BRABHAM

ETTORE BUGATTI

ETTORE BUGATTI
1881-1947

Ettore Bugatti, fils d'un artiste et créateur de meubles de Milan, Carlo Bugatti, dessine sa première voiture, une quatre-cylindres de 3 054 cm³, à l'âge de 20 ans. Après avoir travaillé pour diverses firmes en Alsace et à Cologne, Bugatti monte sa propre entreprise en 1910 et s'installe à Molsheim, en Alsace. La première grande victoire de la marque date de 1920, au Grand Prix des voiturettes, au Mans, avec une Type 13 à 16 soupapes d'avant 1914. Cette voiture remporte également les quatre premières places au Grand Prix de Brescia 1921. La Type 35 huit cylindres en ligne à 1 ACT apparue en 1924 domine la scène sportive dans les années 20. Née pour courir le Grand Prix de l'ACF disputé à Lyon en 1924, c'est la plus célèbre et la plus titrée des voitures de Grand Prix. La Type 51 à 2 ACT de 1931 prend le relais jusqu'à l'arrivée des Alfa Romeo et des Maserati en 1933. A cette époque, le coût de la course en Grand Prix est devenu tel que Bugatti se consacre aux voitures de sport et aux autorails. La mutation est judicieuse, et la Type 57G remporte le Grand Prix de l'ACF Sport 1936 et les 24 Heures du Mans de 1937 et 1939.

C

ALESSANDRO CAGNO
1883-1970

Homme discret, l'Italien Cagno pilote pour Fiat entre 1901 et 1906, prenant la troisième place de la Coupe Gordon-Bennett 1905. Il entre ensuite chez Itala et remporte la Targa Florio en 1906 et la Coppa della Velocita en 1907. En 1908, il se tourne vers l'aviation, mais effectue un retour spectaculaire en course automobile en 1923, au volant d'une Fiat 1,5 litre, en signant la première victoire d'une voiture à compresseur dans le Grand Prix d'Italie des voiturettes.

GIUSEPPE CAMPARI
1892-1933

Le pilote italien Campari, avec ses 101 kilos, n'a guère la silhouette d'un pilote automobile et se passionne pour le bel canto. Pilotant pour Alfa Romeo, il obtient sa première victoire au Circuit du Mugello en 1920. Il remporte le Grand Prix de l'ACF 1924 avec la nouvelle Alfa Romeo P2 et mène dans le Grand Prix de 1925, quand l'équipe italienne se retire après l'accident mortel dont est victime Ascari. Il remporte aussi la Mille Miglia et la Coppa Acerbo en 1928 et 1929. Il termine deuxième dans la Mille Miglia 1931, avec une Alfa 6C 1750. En 1933, il remporte le Grand Prix de l'ACF et annonce sa retraite après sa prochaine course, le Grand Prix de Monza, pour se consacrer à l'opéra. Mais il se tue quand sa voiture dérape lors de la deuxième manche.

SIR MALCOLM CAMPBELL
1885-1949

Le membre le plus célèbre de la famille anglaise Campbell, Malcolm, gagne sa première course en 1910 avec une Darracq. Après la Première Guerre mondiale, il pilote différentes voitures, dont une Peugeot Grand Prix de 7,6 litres et la Sunbeam V12 de 350 chevaux avec laquelle il établit un nouveau record de vitesse sur terre à 235,2 km/h en 1924. Dès lors, il mêle la compétition sur circuit et les tentatives contre le record du monde de vitesse avec ses Bluebird à moteur d'avion. Son record de 1931, 395,7 km/h, lui vaut l'anoblissement. En 1935, il passe les 300 miles à l'heure, à 482,8 km/h, sur le lac salé de Bonneville, aux États-Unis.

SIR MALCOLM CAMPBELL

RUDI CARACCIOLA
1901-1959

L'Allemand Rudolf Caracciola commence à piloter en 1922, avec une voiture légère Fafnir, et rejoint l'équipe Mercedes en 1924, où il pilote une voiture 1,5 litre à compresseur. Sa première grande victoire est au Grand Prix d'Allemagne 1926, année où il remporte aussi la course inaugurale du circuit du Nürburgring. Lorsque Mercedes abandonne la compétition fin 1931, Caracciola rejoint Alfa Romeo et gagne 4 Grands Prix en 1932, mais il a un grave accident à Monaco en 1933, qui entraînera le raccourcissement d'une jambe. Arrêté pendant un an, il entre ensuite chez Mercedes, qui aligne de nouvelles voitures de Grand Prix financées en partie par le gouvernement allemand. Il copilote la Mercedes gagnante du Grand Prix d'Italie 1934 et remporte 8 Grands Prix l'année suivante, devenant champion d'Allemagne et d'Europe. Avec la nouvelle Mercedes W154, il enlève le Grand Prix de Suisse et la Coppa Acerbo 1938, et signe sa dernière victoire dans le Grand Prix d'Allemagne 1939. Il abandonne la course en 1952, après un accident.

COLIN CHAPMAN
1928-1982

L'un des plus grands créateurs de l'histoire de la course automobile, Chapman construit sa première Lotus sur base d'Austin Seven entre 1947 et 1948, avant de fonder, en 1952, Lotus Engineering. Lotus fait ses débuts en Formule 1 avec la Type 12 au Grand Prix de Monaco 1958. Lorsque la Formule 1 semble interdite faute de disposer d'un mo-

COLIN CHAPMAN

teur 3 litres convenable, en 1966, Chapman convainc Ford de commander à Cosworth l'étude d'un V8 de F1. La nouvelle Lotus 49, pilotée par Jim Clark, remporte un Grand Prix dès sa première course, en 1967. Frappé par la mort de Clark survenue en 1968, Chapman songe à abandonner la compétition, mais il se reprend, et sa créativité et son dynamisme placent Lotus en tête de la Formule 1 dans les années 70.

LOUIS CHEVROLET
1878-1941

Fils d'un fabricant de montres suisse, Louis Chevrolet travaille en France dans l'industrie automobile, avant d'émigrer au Canada en 1900. En 1905, il travaille chez Hol-Tang (Hollander & Tangeman), à New York, et établit un record sur le mile au volant d'une Fiat de course. Chevrolet entre ensuite dans l'équipe de compétition de Buick et devient l'un des meilleurs pilotes américains. Il fonde la Frontenac Motor Company pour produire des voitures de compétition et conçoit aussi la machine de course légère Cornelian à caisse monocoque. Chevrolet abandonne la course après le décès en course de son frère Gaston, sur une piste en bois californienne.

LUIGI CHINETTI
1906-1980

Né en Italie, Luigi Chinetti gagne Le Mans en 1932 et 1934, sur une Alfa Romeo 8C. Il émigre aux États-Unis peu avant la Seconde Guerre mondiale. Revenu en Italie en 1946, il persuade son ami Enzo Ferrari de construire des voitures de course et devient l'importateur américain de la nouvelle marque. Il remporte encore les 24 Heures du Mans 1949 avec une Ferrari 166.

LOUIS CHIRON
1900-1979

Né à Monaco, Louis Chiron commence à courir sur Bugatti en 1923. Dès 1928, il devient l'un des meilleurs pilotes européens, en remportant 5 Grands Prix cette année-là. Il termine septième aux 500 Miles d'Indianapolis 1929, année où il participe à la création du Grand Prix de Monaco. Il pilote pour Bugatti et Alfa Romeo dans les années 30, et remporte les Grands Prix de l'ACF 1931 (Bugatti) et 1934 (Alfa). Il pilote ensuite pour différents constructeurs. Il enlève les Grands Prix de l'ACF 1947 et de France 1949 pour Talbot. Il gagne le Rallye de Monte-Carlo 1954, sur Lancia.

LOUIS CHIRON

JIM CLARK
1936-1968

C'est en pilotant dans des rallyes locaux que le fils d'un fermier écossais, Jim Clark, acquiert une certaine notoriété dans le monde de la course automobile au début des années 50. Ses grands succès commencent vraiment en 1960, quand il prend la troisième place au Mans avec une Aston Martin et qu'il est recruté par Lotus. Vainqueur-né dès le début de sa carrière, Clark aborde vite les Grands Prix. Sa première grande victoire a lieu à Spa, en Belgique, en 1962 avec la nouvelle Lotus 25 monocoque. Il aurait dû être champion du monde si sa voiture n'avait pas perdu son huile alors qu'il était en tête de la dernière manche en Afrique du Sud. Clark remporte le championnat en 1963, avec 6 victoires absolues. L'année suivante, il perd le titre par une marge des plus étroites dans la dernière course de la saison. En 1965, il récupère son trophée tout en signant une sensationnelle victoire à Indianapolis, avec la Lotus-Ford. Il est moins heureux en 1966, alors que Lotus doit exploiter le délicat moteur BRM H16. Mais 1967 apporte un événement historique : Clark pilote la Lotus 49 à moteur Ford DFV, qui gagne dès sa première apparition dans le Grand Prix de Hollande. Clark remporte son vingt-cinquième Grand Prix au début de la saison 1968, mais il se tue peu de temps après dans un accident survenu à Hockenheim, lors d'une épreuve mineure de Formule 2.

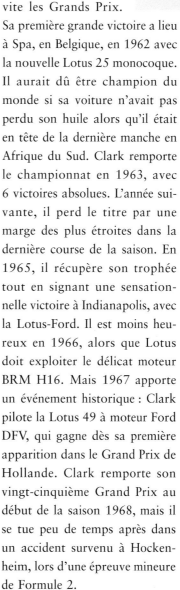

JIM CLARK

JOHN COBB
1899-1952

Le pilote britannique John Cobb gagne sa première course à Brooklands en 1925, au volant d'une Fiat de 10 litres. En 1929, il acquiert la Delage V12 de 10,5 litres qui a détenu le record de vitesse pure à 230,6 km/h en 1924 et 11 records britanniques, en bouclant Brooklands à plus de 200 km/h. En 1933, Cobb dévoile sa Napier-Railton conçue par Reid Railton. En 1935, propulsée par un moteur aéronautique Na-

JOHN COBB

pier Lion W12, elle réalise la plus haute moyenne jamais atteinte sur cette piste, avec 244 km/h. En 1939, Cobb bat le record du monde de vitesse pure à 549,9 km/h, avec la Railton Mobil Special propulsée par deux moteurs d'avion Napier de 1 250 chevaux, l'un entraînant les roues avant, l'autre les roues arrière. Cobb se tue en 1952, lorsque son canot à réaction *Crusader* explose alors qu'il tente de battre le record de vitesse pure sur l'eau.

PETER COLLINS
1931-1958

L'Anglais Peter Collins commence à courir en Formule 500 à 17 ans et fait partie, trois ans après, de l'équipe HWM de Formule 2. En 1952, il pilote en sport pour Aston Martin et remporte les 9 Heures de Goodwood. En 1953, il gagne le Tourist Trophy en Ulster. En 1954, il débute en Grand Prix au volant de la Ferrari Thin Wall Special, pour l'écurie de Formule 1 de Tony Vandervell. Il entre chez Ferrari en 1956 et s'adjuge 2 Grands Prix avec la Lancia-Ferrari. En 1957, il est rejoint chez Ferrari par son ami Mike Hawthorn, mais il connaît peu de succès avant l'arrivée des nouvelles

voitures en 1958, lorsqu'il remporte le Grand Prix de Grande-Bretagne à Silverstone. Lors de l'épreuve suivante, le Grand Prix d'Allemagne, il est mortellement blessé dans un accident.

CHARLES 1893-1964
ET JOHN COOPER
Né en 1923

Le garagiste anglais Charles Cooper et son fils John sont parmi les premiers à construire des voitures pour la nouvelle Formule 500. En 1952, Cooper commence à produire des voitures à moteur Bristol pour la Formule 2, et l'étoile montante du sport, Mike Hawthorn, gagne deux fois à Goodwood avec le nouveau modèle. En 1958, Cooper produit une voiture de Formule 1 de 2 litres sur la base du modèle de l'année précédente à moteur 1500 Coventry-Climax. La voiture gagne immédiatement, et Stirling Moss apporte à Cooper sa première victoire en Formule 1 au Grand Prix d'Argentine, consacrant la solution du moteur arrière. En 1959, avec un moteur porté à 2,5 litres, Cooper remporte le titre constructeurs avec Jack Brabham, qui devient champion du monde des conducteurs. La firme et son pilote récidivent en 1960.

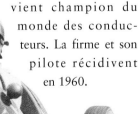

PETER COLLINS

EARL COOPER
1886-1965

L'Américain Earl Cooper aborde la course automobile vers l'âge de 20 ans et court plusieurs années sur les pistes en cendrée californiennes. Sa grande mutation se produit en 1913, quand il est invité par l'équipe Stutz et gagne le championnat national de l'American Automobile Association. Stutz a moins de succès en 1914, car Cooper doit abandonner lors de sa première tentative à Indianapolis. Harry Stutz s'empresse alors de copier le haut-moteur des moteurs de course européens, comme Peugeot et Delage. Trois voitures sont construites et peintes en blanc. Cooper est immédiatement vainqueur avec sa voiture du « White Squadron » et remporte le championnat national pour la deuxième fois. Stutz abandonne la course en 1916. Cooper rachète alors l'une des voitures de l'équipe et gagne le titre national en 1917 pour la troisième fois. Il décide de se retirer de la compétition en 1921.

BRIGGS CUNNINGHAM
Né en 1907

L'Américain Briggs Cunningham fonde la société B. S. Cunningham en 1950, en vue de produire des voitures de sport à moteur V8. En 1951, trois Cunningham C2-R sont engagées au Mans, mais une seule termine la course. En 1952, une Cunningham C4-R prend la quatrième place au Mans, tandis qu'en 1953 trois Cunningham figurent dans les dix premières voitures à l'arrivée. En 1954, les Cunningham C4-R terminent troisième et cinquième au Mans. Peu après, la marque cesse toute production.

D

SYDNEY CHARLES
HOUGHTON DAVIS
1887-1981

L'Anglais S. C. H. « Sammy » Davis commence comme apprenti chez Daimler avant de devenir journaliste et illustrateur automobile. Davis est également pilote et, en 1922, il fait partie de l'équipe Aston Martin, qui établit 32 records mondiaux et de catégorie à Brooklands. Il pilote aux 24 Heures du Mans en 1926 et 1927, gagnant cette dernière édition après avoir réussi à éviter un terrible carambolage au virage de Maison-Blanche. En 1930, Davis et The Earl of March remportent les 500 Miles de Brooklands avec une Austin Seven, à la moyenne de 134,26 km/h.

KAYE DON
1891-1981

Le Britannique Kaye Don se fait un nom à Brooklands dans les années 20, avec sa « Viper » à moteur d'avion Hispano ; en 1928, il devient le premier pilote à boucler la piste à plus de 200 km/h de moyenne, avec la Sunbeam Tiger V12. Il remporte aussi le Tourist Trophy cette même année, sur

KAYE DON

une Lea-Francis. En 1931, il bat de nouveau le record de Brooklands à 221,37 km/h. Don se retire en 1934, après la mort de son mécanicien dans un accident sur l'île de Man, qui débouche sur sa condamnation pour homicide involontaire.

KEITH DUCKWORTH
Né en 1933

Concepteur du moteur de Grand Prix le plus titré de tous les temps, le Britannique Keith Duckworth fonde Cosworth Engineering (avec Mike Costin) en 1958, après un séjour chez Lotus comme ingénieur transmissions. En 1965, Ford finance à concurrence de 100 000 livres les coûts de développement du moteur V8 Cosworth DFV de Duckworth. La victoire immédiate de ce moteur dans la Lotus 49 de Jim Clark au Grand Prix de Hollande 1967 est la première d'une série inégalée de 155 succès absolus en Formule 1 du DFV. Une version à course courte, le DFX de 2,65 litres, remporte les 500 Miles d'Indianapolis à dix reprises.

BERNIE ECCLESTONE
Né en 1930

Ancien pilote motocycliste et négociant, le Britannique Bernie Ecclestone commence à courir en Formule 3 dans les années 50. Une première carrière dans la direction d'écurie – avec deux voitures Connaught pilotées par Ivor Bueb et Stuart Lewis-Evans – se termine avec la mort de ce dernier, en 1958. En 1971, Ecclestone reprend Motor Racing Developments (qui gère l'équipe Brabham) et met sur pied la For-

mula One Constructors' Association. Cet organisme devient la cheville ouvrière de la Formule 1 et fait d'Ecclestone l'homme le plus puissant du sport automobile, grâce au contrôle total des droits de télévision.

S. F. EDGE
1868-1940

Né en Australie, S. F. Edge réalise l'importance des victoires en course comme moyen promotionnel quand il fonde la Motor Power Company en vue de vendre les voitures Napier. Il remporte la première victoire britannique importante dans une épreuve européenne quand sa Napier bat ses rivales dans la Coupe Gordon-Bennett 1902. Sa carrière de pilote prend fin après 1904, mais, en 1907, il établit un record mondial sur 24 heures à la moyenne de 105,1 km/h, avec une six-cylindres Napier, sur la piste toute neuve de Brooklands. Ce record tient jusqu'à ce qu'il le batte en 1922, à Brooklands, avec une six-cylindres Spyker à la moyenne de 119,68 km/h.

S. F. EDGE

JUAN MANUEL FANGIO
1911-1995

Cinq fois champion du monde et peut-être le plus grand champion de tous les temps, Juan Manuel Fangio remporte 24 Grands Prix sur 51 épreuves disputées. Argentin de première génération d'ascendance italienne, il commence à courir dans les années 30. Lorsque la course reprend en Argentine, après la Seconde Guerre mondiale, Fangio est désigné pour piloter l'une des deux Maserati acquises par l'Automobile-Club d'Argentine pour lutter contre les

pilotes européens en visite. En 1949, il vient en Europe, court pour Gordini, puis rejoint Alfa Romeo, qui l'invite à disputer pour son compte le premier championnat du monde en 1950. Il remporte son premier titre mondial en 1951, puis entre chez Ferrari, mais un accident aux cervicales le tient éloigné de la compétition jusqu'en 1953. Revenu chez Maserati, il finit deuxième du championnat, entre chez Mercedes et enlève les deux championnats du monde suivants. Il rejoint Ferrari en 1956 et décroche encore le titre mondial. En 1957, il gagne son dernier championnat du monde, cette fois sur Maserati, et se retire de la compétition en 1958.

GIUSEPPE FARINA
1906-1966

L'Italien Giuseppe « Nino » Farina est le fils du carrossier turinois Giovanni Farina et le neveu de Pinin Farina. Il commence à courir à l'âge de 15 ans. En 1954, il remporte sa première grande course, le Grand Prix Masaryk

DE GAUCHE À DROITE : ALBERTO ASCARI, JUAN FANGIO ET GUISEPPE FARINA

des voiturettes, à Brno, en Tché-coslovaquie, sur Maserati. En 1936, il rejoint la Scuderia Ferrari, où il court contre les puissantes écuries allemandes au volant d'Alfa Romeo vieillissantes. Il réussit à prendre la deuxième place au Grand Prix de Suisse 1939, avec une Alfetta 1,5 litre, contre dix Mercedes et Auto Union d'une cylindrée double. En 1950, il remporte le premier titre de champion du monde des conducteurs d'après guerre pour Alfa Romeo. Il entre chez Ferrari en 1952 et devient premier pilote en 1954, mais les blessures subies en course lors de cette saison le conduisent à la retraite en 1957.

ENZO FERRARI
1898-1988

Après quelques succès comme pilote au début des années 20, l'Italien Enzo Ferrari fonde la Scuderia Ferrari à la fin de 1929, pour prendre en charge les intérêts sportifs d'Alfa Romeo. L'accord cesse en 1938. Les premières voitures Ferrari apparaissent en 1947. La nouvelle V12 de sport, conçue par Gioacchino Colombo, fait ses débuts en course à Piacenza en mai.

ENZO FERRARI

La première monoplace de Grand Prix apparaît l'année suivante. En 1961, Ferrari remporte son premier titre de champion du monde des constructeurs, qu'il gagnera

encore en 1964, 1975, 1976, 1977, 1979, 1982 et 1983. Ferrari signe aussi de nombreux succès à la Mille Miglia et aux 24 Heures du Mans. Après le décès de son unique fils légitime, Dino, en 1956, Enzo Ferrari prend ses distances et gouverne son entreprise et son équipe depuis son quartier général de Maranello, sans jamais assister physiquement à un Grand Prix. En 1963, il rejette un projet d'achat par Ford à quelques jours de la signature, mais l'affaire est acquise par Fiat six ans après. Toutefois, Ferrari dirigera son entreprise jusqu'à sa mort.

EMERSON FITTIPALDI
Né en 1946

Emerson Fittipaldi arrive en Grande-Bretagne en 1969, après avoir remporté les championnats

EMERSON FITTIPALDI

de karting et de Formule Vé dans son Brésil natal. Jim Russell, propriétaire d'une école de pilotage, lui propose de piloter sa Lotus 59 de Formule 3, et il s'adjuge le Trophée Lombard de Formule 3 dès sa première année. Colin Chapman l'engage pour courir en Formule 2 et le propulse très vite en Formule 1, pour éviter qu'il ne soit sollicité par la concurrence. Il gagne sa cinquième course de Formule 1,

le Grand Prix des États-Unis à Watkins Glen, et enlève le championnat du monde 1972 pour Lotus, devenant le plus jeune pilote titré. Fittipaldi finit deuxième du championnat en 1973, avant de passer chez McLaren et de remporter le titre en 1974. En 1981, il part aux États-Unis pour courir en Indy-car, dont il enlève le championnat en 1986. Fittipaldi gagne les 500 Miles en 1989.

MAURO FORGHIERI
Né vers 1936

Pendant plus de vingt ans, cet ingénieur italien est responsable de la création des Ferrari de course. Il entre dans l'entreprise en 1959 et contribue à l'obtention de 7 titres de champion du monde des constructeurs, commençant par la victoire de John Surtees en 1964. Forghieri voit son V12 de 3 litres supplanté par le moteur Ford-Cosworth DFV à la fin des années 60 ; son douze-cylindres à plat 312B1 ramène l'espoir au début des années 70. Cependant, les versions qui se succèdent n'apportent pas les résultats escomptés, jusqu'à ce que le 312B3 très révisé procure 9 pole positions à Niki Lauda en 1974. L'excellente 312T à boîte transversale donne le titre à Lauda en 1975, et ses développements apportent le titre

MAURO FORGHIERI

des constructeurs 1976 à Ferrari, et à Lauda le titre des pilotes en 1977, ainsi que le titre des pilotes à Jody Scheckter en 1979.

FROILAN GONZALES
Né en 1922

Le flamboyant pilote argentin Froilan Gonzales suit Juan Manuel Fangio en Europe en 1950, afin de piloter aussi une Maserati de l'Automobile-Club. Gonzales rejoint Ferrari l'année suivante et apporte à l'équipe italienne sa première victoire dans le championnat du monde, avec le Grand Prix de Grande-Bretagne. Il court pour Maserati en F2 en 1952 et 1953, gagne Le Mans en 1954, avec Maurice Trintignant, sur une Ferrari 4,9 litres.

FROILAN GONZALES

SIR ALGERNON 1883-1954 ET KENELM LEE GUINNESS 1887-1937

L'Irlandais sir Algernon « Algy » Lee Guinness termine troisième du Tourist Trophy 1905 dans l'île de Man, au volant d'une Darracq, et pilote une Darracq V8 de 200 chevaux à Brooklands et à Saltburn Sands en 1907 et 1908. Son frère, Kenelm Lee, gagne le Tourist Trophy 1914 sur l'île de Man, avec une Sunbeam. Après la Première Guerre mondiale, il entre dans l'équipe Sunbeam. Mais il obtient ses plus belles victoires avec les voiturettes Talbot-Darracq de 1,5 litre. Dans la course des 200 Miles du Junior Car Club, en 1922, à Brooklands, les Talbot-Darracq doivent faire face à

ALGY LEE GUINNESS

une forte opposition, mais Guinness gagne à la moyenne de 141,61 km/h. En 1922, il établit un nouveau record de vitesse pure à Brooklands, à 215,19 km/h, avec la Sunbeam V12 de 350 chevaux.

DAN GURNEY
Né en 1931

L'Américain Dan Gurney arrive en Europe en 1958 pour piloter des Ferrari de sport, avant de re-cevoir son premier volant en Formule 1 l'année suivante. En 1961, il rejoint Porsche et donne à la marque sa seule victoire en Formule 1 dans le Grand Prix de l'ACF, en 1962. Avec Carroll Shelby, il fonde All-American Racers en 1964. Gurney reprend seul le contrôle de la firme en 1967. Sa victoire au Grand Prix de Bel-gique 1967, avec son Eagle de Formule 1, est la première d'un pilote américain au volant d'une voiture américaine depuis 1921. Gurney est aussi très titré dans les championnats de voitures de production dans les années 60. Il gagne également au Mans en 1967, avec la Ford GT40 Mk IV.

MIKA HAKKINEN
Né en 1968

Entré en Formule 1 le 10 mars 1991 à Phoenix sur une Lotus, Mika Hakkinen est devenu, en 1998, le deuxième champion du monde finlandais de l'histoire de la Formule 1, seize ans après son compatriote Keke Rosberg, de-venu entre-temps son mentor et son agent. Après deux saisons chez Lotus (1991, 1992), Mika Hakkinen signe chez McLaren en 1993. Il se tire au mieux d'un très grave accident aux essais du Grand Prix d'Australie en 1995. Il obtient sa première victoire en Formule 1 le 26 octobre 1997, dans le Grand Prix d'Europe, à Jerez. En 1998, sur une McLaren-Mercedes, il réalise la meilleure saison de sa carrière, totalisant neuf pole positions et huit succès. Il est couronné champion du monde le 1er novembre 1998 dans le Grand Prix du Japon.

MIKE HAWTHORN

RAY HARROUN
1879-1968

L'ingénieur américain Ray Har-roun a déjà officiellement aban-donné la compétition quand son patron, Howard Marmon, le convainc de faire une « course d'adieu » dans les premiers 500 Miles d'Indianapolis en 1911. Harroun décide de courir sans mé-canicien à bord et crée la première monoplace de course, la Marmon Wasp. Il tourne régulièrement avant de prendre sa retraite.

MIKE HAWTHORN
1929-1959

Le premier champion britan-nique, Mike Hawthorn, com-mence à courir avec une Riley Imp en 1950. Il passe à la mono-place en 1952, avec une Cooper-Bristol, puis rejoint Ferrari en 1953 et gagne le Grand Prix de l'ACF, premier pilote anglais vainqueur de cette épreuve depuis 1923. Il pilote pour Vanwall au début de 1955, mais, la voiture n'étant pas au point, il retourne chez Ferrari. Hawthorn mène une Jaguar Type D jusqu'à la victoire aux 24 Heures du Mans et court en Formule 1 avec la nouvelle BRM 2,5 litres en 1956. De nou-veau chez Ferrari, il remporte le championnat du monde 1958 et annonce son retrait à la fin de la saison. Il se tue dans un accident de la route en janvier 1959.

ROBIN HERD
Né en 1939

En 1968, l'ingénieur aéronau-tique Robin Herd fonde March Engineering avec Max Mosley, Graham Coaker et Alan Rees. Il conçoit la March 701, qui, pilo-tée par Chris Amon, gagne sa pre-mière course, l'International Tro-phy, à Silverstone. Herd suit avec la 711, que le pilote officiel de March, Ronnie Peterson, mène en deuxième position du champion-nat du monde en 1969. La pre-mière victoire de March en For-mule 1 est obtenue en 1975 avec Vittorio Brambilla, qui remporte le Grand Prix d'Autriche.

DAMON HILL
Né en 1960

Le premier pilote champion du monde de « deuxième généra-tion », le Britannique Damon Hill, n'a que 15 ans quand son père, Graham, trouve la mort

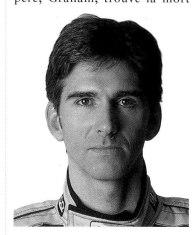

DAMON HILL

GRAHAM HILL

dans un accident d'avion, mais il a déjà montré ses qualités de pilote motocycliste de trial. En 1984, âgé de 24 ans, Hill débute en Formule Ford, terminant troisième du championnat trois ans après. Sa chance en Formule 1 arrive en 1992, et il se révèle un talentueux pilote-essayeur chez Williams avant d'être engagé aux côtés d'Alain Prost. Des victoires en Hongrie, en Belgique et en Italie lui donnent la troisième place au championnat mondial des pilotes. Il termine deuxième en 1994 et 1995, et remporte le titre mondial en 1996. Mais Williams ne renouvelle pas son contrat pour 1997, et Hill doit courir pour des écuries moins performantes, Arrows et Jordan, au cours des deux saisons suivantes.

GRAHAM HILL
1929-1975

Débutant tardivement, Graham Hill ne pilote une voiture de course pour la première fois qu'à l'âge de 24 ans. Il rencontre alors Colin Chapman à Brands Hatch, qui l'embauche comme mécanicien à l'usine Lotus. Hill fait ses débuts en Grand Prix en 1958 et rejoint BRM en 1960, remportant le premier titre mondial de l'écurie

en 1962. Il finit deuxième en 1963, 1964 et 1965, et gagne à Indianapolis en 1966 au volant d'une Lola. Il revient chez Lotus en 1967, comme coéquipier de Jim Clark, et obtient son deuxième titre mondial l'année suivante. Il se casse les deux jambes dans un accident à Watkins Glen en 1969 et, malgré sa victoire aux 24 Heures du Mans 1972 avec une Matra, son potentiel en Formule 1 semble épuisé. Il se tue en cherchant à poser son avion sur l'aérodrome d'Elstree, dans le Hertfordshire, noyé dans un épais brouillard.

PHIL HILL
Né en 1927

Déjà pilote confirmé de voitures de sport dans son pays natal, les

PHIL HILL

États-Unis, Phil Hill court au Mans en 1954 avant d'être engagé par Enzo Ferrari pour une série d'épreuves européennes. Il est promu dans l'équipe officielle de Formule 1 en 1958. Deux ans plus tard, il remporte son premier Grand Prix à Monza. Phil Hill décroche le titre mondial en 1961, avec une Ferrari « Squalo ». Il se retire en 1967.

LORD HOWE
(FRANCIS CURZON)
1884-1964

Francis Richard Penn Curzon, Earl (comte) Howe cinquième du nom, ne commence sa carrière de pilote qu'à l'âge de 44 ans. Sa première grande épreuve est le Tourist Trophy 1928 en Ulster ; il y participe à nouveau en 1930, avec une Mercedes 38/250. En 1931, il remporte les 24 Heures du Mans avec sa nouvelle Alfa Romeo 8C-2300 à quatre places, avec son coéquipier sir Henry Birkin. Ils établissent de nouveaux records de distance et de vitesse avec 3 017 kilomètres et 125,6 km/h. Howe préside le British Racing Drivers' Club de sa toute première assemblée générale annuelle, en 1929, jusqu'à sa mort, en 1964. Il est aussi vice-président de la CSI,

autorité ayant précédé la FISA (Fédération internationale du sport automobile).

DENNY HULME
1936-1992

Dennis Clive Hulme quitte la Nouvelle-Zélande en 1960, dans le cadre de la formule « Driver to Europe », afin de courir les épreuves de la Formule Junior. Il termine deuxième derrière Jack Brabham en Formule 2, puis arrive en Formule 1 l'année suivante. Sa première victoire en Formule 1 se produit à Monaco en 1967, et il remporte le titre mondial la même année. De 1968 jusqu'à sa retraite, prise en 1975, il pilote pour son compatriote Bruce McLaren.

JAMES HUNT
1947-1993

L'Anglais James Hunt débute en Formule 3 en 1969, avant d'être engagé par Lord Hesketh pour courir en Formule 2 en 1972. Lorsque Hunt accidente la Surtees de Formule 2 que Hesketh a achetée pour la saison 1973, Lord Hesketh décide de courir en Formule 1, d'abord avec une March, puis avec la Hesketh 308. Hunt réussit à finir quatrième dans les Grands Prix de France et de Grande-Bretagne, et deuxième à

JAMES HUNT

Watkins Glen dès sa première saison. Il passe chez McLaren en 1976 et remporte le titre mondial avec une mémorable troisième place obtenue sous une pluie torrentielle au Japon. Hunt se retire en 1979 et devient alors un très compétent commentateur de télévision. Il meurt d'une crise cardiaque en 1993.

I

JACKY ICKX
Né en 1945

Né en Belgique, Jacky Ickx pilote des voitures de production dès 1965, avec beaucoup de succès. Il est remarqué par le directeur d'écurie Ken Tyrrell et signe pour courir en Formule 3 avant de passer à la Formule 2 en 1966. Il est engagé dans l'équipe Ferrari de Formule 1 en 1968 et termine quatrième du championnat, puis passe chez Brabham en 1969, obtenant la deuxième place du championnat. La même année, il enlève pour Ford sa quatrième victoire au Mans, avec la GT40 n° 1075. Son total de 6 succès au Mans est un record. Il a aussi remporté 2 championnats en catégorie sport en 1982 et 1983, et le rallye Paris-Dakar.

JACKY ICKX

J

CHARLES JARROTT
1877-1944

L'Anglais Charles Jarrott est champion cycliste dans les années 1890. Il s'intéresse à l'industrie automobile et pilote en course des tricycles à moteur, avant de prendre le volant de voitures Panhard et Levassor de course. Il termine dixième de la course Paris-Berlin de 1901, deuxième du Circuit du Nord de 1902 et onzième du Paris-Vienne

CHARLES JARROTT

disputé la même année. Passant chez De Dietrich, il finit troisième de « la course de la mort », la Paris-Madrid de 1903, puis entre chez Napier pour la Gordon-Bennett de 1903. Il pilote pour Wolseley et De Dietrich en 1904, avant de se retirer l'année suivante.

CAMILLE JENATZY
1868-1913

Ingénieur réputé et pilote de grand talent, le Belge (et roux) Camille Jenatzy, surnommé le « Diable rouge », est une des figures les plus pittoresques de la période d'avant 1910. Il établit le

CAMILLE JENATZY

premier record de vitesse pure au-dessus de 100 km/h avec une voiture électrique, la *Jamais-Contente*, en 1899. En 1903, il pilote pour Mercedes et termine onzième de sa classe dans le Paris-Madrid. Il gagne la Coupe Gordon-Bennett en 1903, au volant d'une Mercedes 60 HP empruntée à un client après un incendie à l'usine qui détruit les voitures de 90 HP. Il meurt dans un accident de chasse, tué par un collègue après avoir imité le cri du sanglier.

EDDIE JORDAN
Né en 1948

Le banquier irlandais Eddie Jordan abandonne une prometteuse carrière de pilote pour fonder sa propre écurie de Formule 3 en 1981. Jordan remporte le championnat des constructeurs de Formule 3 avec son pilote Johnny Herbert, en 1987. La marque aborde la Formule 1 en 1991. Les premières voitures de Formule 1 utilisent des moteurs Ford HB, mais un accord avec Yamaha en vue d'utiliser le nouveau V12 tourne au désastre. Pour 1993, Jordan adopte le nouveau moteur Hart V10, puis se lie pour trois ans à Peugeot. C'est à Eddie Jordan que l'on doit la « découverte » du pilote Michael Schumacher, qui remporte son premier

Grand Prix sur une Jordan avant de rejoindre Benetton.

K

UKYO KATAYAMA
Né en 1963

Katayama commence à courir en Formule Ford dans son Japon natal. Il passe à la Formule 3, puis vient en Europe pour disputer des épreuves en Formule Renault avant de retourner en Formule 3. Revenu au Japon, il court en Formule 3000 nationale et remporte le championnat national sur une Lola Mugen-Honda en 1991. La première épreuve de Formule 1 disputée par Katayama est le Grand Prix d'Afrique du Sud 1992, au volant d'une Venturi Larrousse-Lamborghini. Il entre chez Tyrrell en 1993.

L

NIKI LAUDA
Né en 1949

L'Autrichien Niki Lauda commence à piloter sur circuit en Formule Vé et en Formule 3, puis entre dans l'écurie March de Formule 2 en 1971. Lauda pilote pour l'équipe BRM en 1973 avant d'être recruté par Ferrari pour la saison 1974, année où il remporte son premier Grand Prix à Jarama, en Espagne. Il gagne le championnat 1975 et semble être en mesure de récidiver, quand un accident suivi d'un incendie au Nürburgring le laisse pratiquement mort. Il en réchappe presque miraculeusement et revient en course avant la fin de la saison, où il ne manque le titre que d'un point. Il remporte le titre mondial 1977 pour Ferrari, puis rejoint Brabham avant de prendre sa retraite en 1979. Mais il revient en 1982, pour s'adjuger le troisième titre mondial avec McLaren, avant de se retirer définitivement en 1985.

NIKI LAUDA

CHRISTIAN LAUTENSCHLAGER
1877-1954

Après avoir travaillé momentanément dans une fabrique de cycles, l'Allemand Christian Lautenschlager entre en 1900 à la Daimler Motoren Gesellschaft, où il devient chef contrôleur. Après avoir été mécanicien de course lors du Circuit des Ardennes disputé en 1906, il est promu pilote alors que ce poste est généralement tenu par des amateurs. Sa victoire dans le Grand Prix de l'ACF 1908 est un tel choc pour les constructeurs français que l'épreuve est supprimée jusqu'en 1912. Mercedes effectue un retour en Grand Prix en 1914, et le pilotage régulier et sans emphase de Lautenschlager vient finalement à bout du bouillant Georges Boillot, au volant d'une Peugeot, pour apporter à Mercedes une victoire historique à la veille de la Grande Guerre.

GUY LIGIER
Né en 1930

Ancien joueur de rugby, le Français Guy Ligier aborde la Formule 1 au volant d'une Cooper-Maserati en 1966. Il participe à 12 Grands Prix avant de fonder sa propre marque en 1968, après le décès de son partenaire en affaires, Jo Schlesser, au Grand Prix de France à Rouen. Toutes les voitures Ligier sont désignées JS en mémoire de Schlesser. La JS5 à moteur Matra de 1971 est la première Ligier de Grand Prix conçue par Gérard Ducarouge. La victoire de Jacques Laffite au volant de la nouvelle JS7 au Grand Prix de Suède 1977 est le

GUY LIGIER

premier succès cent pour cent français (voiture, moteur et pilote) depuis l'institution du championnat mondial, en 1950.

BRIAN LISTER
Né en 1926

Au début des années 50, Brian Lister décide de créer une écurie de course en Grande-Bretagne, afin de promouvoir sa firme de constructions mécaniques établie de longue date. Il recrute Archie Scott-Brown, pilote rapide et audacieux malgré un handicap phy-

sique qui le prive de l'usage d'une main. Scott-Brown remporte deux courses avec la Lister prototype dès sa première apparition, et une Lister-Bristol gagne l'épreuve sport organisée le jour du Grand Prix de Grande-Bretagne 1954. Les Lister-Jaguar 1957 enlèvent quatre grandes épreuves en catégorie sport. Mais, en 1958, lors du Grand Prix de Spa pour voitures de sport, Archie Scott-Brown est tué dans un accident. Brian Lister abandonne la compétition.

FRANK LOCKHART
1902-1928

L'Américain Frank Lockhart remporte les 500 Miles d'Indianapolis sur une Miller, dès sa première participation. Ingénieur de talent, Lockhart met au point un échangeur de température pour le moteur Miller suralimenté et mène dans les 500 Miles 1927, avec sa Miller Perfect Circle Special, jusqu'à son abandon sur panne de moteur après 120 tours. Il conçoit alors une voiture en vue de battre le record de vitesse pure. Sa machine, la Stutz Black Hawk, a deux moteurs Miller suralimentés accouplés pour une cylindrée totale de 3 litres. En avril 1928, la Black Hawk atteint la vitesse de 327,32 km/h dans le premier parcours et frôle 350 km/h au retour, quand l'éclatement d'un pneu fait tournoyer la voiture, qui tue son pilote.

NIGEL MANSELL
Né en 1953

Après une décennie remplie de victoires en karting, Formule Ford et Formule 3, le Britannique

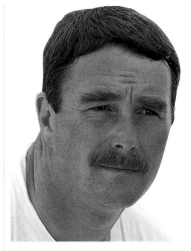

NIGEL MANSELL

Nigel Mansell débute en Formule 1 en 1980, avec une Lotus. Il entre chez Williams en 1985 et termine deuxième du championnat en 1986 et 1987. En 1989, il rejoint Ferrari, mais revient chez Williams en 1991. Une série de 9 victoires lui donne un titre mondial bien mérité en 1992. Il quitte la Formule 1 en 1993 et s'essaie à la Formule IndyCar, aux États-Unis, où il remporte le titre pour son écurie, Newman/Haas, et termine troisième aux 500 Miles d'Indianapolis. Moins heureux l'année suivante, il revient chez Williams en Formule 1 à mi-saison et s'adjuge alors 1 Grand Prix sur 4 disputés. Il rejoint McLaren pour 1995, avant d'annoncer sa retraite de la Formule 1.

LES FRÈRES MASERATI

Les frères Bindo (né en 1883) et Alfieri (1887-1932) Maserati ouvrent un garage à Bologne. En 1922, Alfieri, qui a piloté avant la Grande Guerre, construit une voiture de course propulsée par un demi-moteur d'avion Hispano-Suiza et reçoit la commande d'une voiture de Grand Prix de la part de la firme Diatto. Lorsque Diatto rencontre des problèmes financiers, la firme donne la voiture à Alfieri, qui en fait la première Maserati, avec laquelle il gagne sa catégorie dans la Targa Florio 1926. Le plus jeune des Maserati, Ernesto (1898-1975), obtient des victoires avec la nouvelle voiture. Après le décès d'Alfieri, en 1932, il rejoint ses frères, Ettore et Bindo, à la direction de l'entreprise. Si la production demeure toujours faible, la qualité des voitures apporte à la marque de grands succès en compétition.

RAYMOND MAYS
1899-1980

Pilote accompli en sprint et course de côte dans les années 20, l'Anglais Mays, associé à Humphrey Cook et à Peter Berthon, conçoit, en 1933-1934, la voiturette de course ERA. Après un départ chaotique, les ERA obtiennent quelques vic-

RAYMOND MAYS

toires en circuits, allant même jusqu'à courir aux États-Unis. Ces voitures sont construites dans la propriété de Mays, à Bourne, dans le Cambridgeshire. Lorsque les finances s'épuisent, l'usine est fermée et la marque est vendue. Après la Seconde

BRUCE MCLAREN

Guerre mondiale, Mays est l'inspirateur du projet BRM (British Racing Motor).

BRUCE MCLAREN
1937-1970

Le Néo-Zélandais Bruce McLaren débute en Formule 1 sur une Cooper, en 1959, et remporte le Grand Prix des États-Unis. Il fonde sa propre écurie en 1964 et recrute comme pilote pour la saison 1968 son compatriote Denny Hulme. Il remporte avec Chris Amon les 24 Heures du Mans 1966 et, en 1967, les 12 Heures de Sebring avec Mario Andretti, au volant de la Ford GT40. McLaren trouve la mort en 1970 en essayant une McLaren Groupe 7 CanAm sur le circuit de Goodwood.

HARRY MILLER
1875-1943

Créateur intuitif sans aucune formation théorique, Harry Miller est le plus important fabricant de moteurs de course dans les années 20 et 30 aux États-Unis. Avec l'aide d'un réalisateur hors pair, Fred Offenhauser, Miller produit des moteurs à 2 ACT qui accumulent les victoires les plus spectaculaires à Indianapolis. Miller est aussi un pionnier de la traction avant avec essieu avant

De Dion, dès 1924. Le moteur Offenhauser demeure le groupe le plus employé dans les courses américaines jusque dans les années 60.

STIRLING MOSS
Né en 1929

Le plus célèbre des pilotes britanniques, Stirling Moss, est quatre fois deuxième du championnat du monde des conducteurs, sans parvenir à remporter le titre une seule fois. Ses talents au volant de voitures de sport lui valent de remporter la Targa Florio, une légendaire Mille Miglia et bien d'autres classiques mondiales. Né dans une famille sportive, Moss commence à piloter

STIRLING MOSS

dès l'âge de 18 ans en Formule 3. Il dispose d'une Cooper-JAP de 996 cm^3 l'année suivante et reçoit son premier volant en Formule 1 en 1950. Il remporte aussi le Tourist Trophy sur Jaguar XK120 et devient champion de Grande-Bretagne après avoir remporté trois fois la Coupe des Alpes. Moss refuse la chance de piloter chez Ferrari, pour des raisons patriotiques, au début des années 50, mais, en 1954, face aux réalités, il pilote pour Maserati avec de si bons résultats qu'il est engagé par Mercedes-Benz. L'apogée de sa carrière se situe probablement au moment de sa victoire dans la Mille Miglia 1955, puisqu'il devient le seul et unique vainqueur anglais de cette classique. Son passager, l'auteur et journaliste anglais Denis Jenkinson, qui lui hurle les notes de parcours tout au long de la course, contribue à ce succès. Leur temps restera le record absolu de l'épreuve, avec une moyenne de 157 km/h. Moss revient chez Maserati et remporte 6 Grands Prix de Formule 1 et 6 courses de voitures de sport en 1956. Il gagne le Grand Prix de Grande-Bretagne l'année suivante, puis commence à courir pour l'écurie Rob Walker. Un terrible accident inexpliqué oblige Moss à se retirer en 1962.

JIMMY MURPHY
1894-1924

Débutant comme mécanicien de course avec l'équipe Duesenberg, l'Américain Jimmy Murphy est promu pilote pour la réunion du Labor Day 1919, sur la piste en bois d'Altoona, en Pennsylvanie. Sa première victoire survient plus tard la même année, quand il remporte la course inaugurale de 250 miles sur la piste en bois de Beverly Hills. Il est intégré à l'équipe Duesenberg, qui vient disputer le Grand Prix de l'ACF 1921 au Mans et signe la première victoire américaine en Grand Prix. Il installe un moteur Miller dans la voiture et gagne les 500 Miles d'Indianapolis 1922. Le palmarès de Murphy sur pistes en bois lui vaut le titre de champion d'Amérique 1922. Il finit deuxième en 1923 et gagne encore en 1924. Il se tue dans un accident sur la piste en cendrée de Syracuse, près de New York.

N

FELICE NAZZARO
1880-1940

L'Italien Felice Nazzaro, apprenti chez Fiat, commence à conduire des modèles de course de la jeune firme dès le début du siècle. Sa meilleure saison se situe en 1907, où il remporte toutes les grandes épreuves : Targa Florio, Grand Prix de l'ACF et Kaiserpreis. Il gagne la Targa Florio et la Coppa Florio 1913 sur des voitures de sa propre marque, et se retire après le Grand Prix de Lyon 1914. Il revient dans les années 20 et remporte le Grand Prix de l'ACF 1922, avant d'abandonner le pilotage pour prendre la direction du service compétition de Fiat.

ALFRED NEUBAUER
1891-1980

Pendant trente ans, la « colossale » silhouette du directeur de l'équipe Mercedes, « Don Alfredo » Neubauer, est une figure majeure de la scène sportive automobile. Il est le premier des directeurs d'équipe qui utilise la signalisation dans le cadre d'un plan de course et les tactiques d'équipe pour gagner des courses. L'efficacité de Neubauer apparaît dans les années 30, quand les Flèches d'argent visent la suprématie absolue aux côtés

ALFRED NEUBAUER (À GAUCHE)

des Auto Union. Lorsque Mercedes revient à la compétition après 1951, Neubauer obtient une formidable série de victoires de 1954 à 1955. Mais la tragédie du Mans cette année-là – l'envol de la Mercedes du Français Levegh dans la foule des tribunes – entraîne le retrait des voitures allemandes de la course, puis la retraite de Neubauer et l'abandon de la compétition par Mercedes.

TAZIO NUVOLARI
1892-1953

Tazio Nuvolari, né à Casteldario, près de Mantoue, en Italie, se fait d'abord remarquer comme un audacieux pilote motocycliste. Il passe à l'automobile en 1921, au volant d'une An-

TAZIO NUVOLARI

saldo, puis pilote avec quelques succès une Chiribiri en Espagne. En 1927, il fonde une équipe de Bugatti et gagne 5 courses, mais, à partir de 1929, on le voit de plus en plus sur Alfa Romeo. Sa première grande victoire avec cette marque se situe à la Mille Miglia 1930, sur Alfa Romeo 6C-1750. Parmi ses autres victoires sur Alfa Romeo, citons la Targa Florio et la Coppa Florio 1931, et, en 1933, les 24 Heures

du Mans et une deuxième Mille Miglia. En 1935, il gagne 8 courses avec l'Alfa Tipo B (ou P3), dont une victoire épique sur les puissantes Mercedes et Auto Union au Grand Prix d'Allemagne. Après une excellente saison 1936, il n'obtient qu'un seul succès majeur en 1937. En 1938, il passe chez Auto Union et pilote une Type D. Il est l'un des rares pilotes capables de mener aux limites cette machine instable à moteur arrière. Après la guerre, la maladie l'oblige à interrompre sa carrière.

O

FRED OFFENHAUSER
1888-1973

L'ingénieur américain Fred Offenhauser, qui réalise concrètement les idées de Harry Miller en fabriquant des voitures gagnantes, continue la tradition après la faillite de Miller, en 1933. Le moteur à quatre cylindres Offenhauser (ou « Offy ») domine la scène sportive américaine pendant quarante ans, jusqu'à ce qu'un changement de règlement mette un terme au règne de l'Offy dans les années 80. Offenhauser cède son affaire en 1945 et prend sa retraite, tout en conservant des liens avec la course.

BERNA ELI OLDFIELD
1878-1946

Toujours précédé d'un cigare, le champion cycliste américain Berna Eli « Barney » Oldfield devient célèbre du jour au lendemain, lorsqu'il pilote pour Henry Ford sa voiture « 999 », en 1902. Oldfield, qui n'a jamais conduit auparavant, a dit qu'il conduirait

BARNEY OLDFIELD

n'importe quoi, simplement pour voir. Il se révèle naturellement doué et bouleverse l'Amérique pour démontrer les qualités des Ford. Il pilote aussi des engins de course, comme la « Winton Bullet » et la « Peerless Green Dragon », lors d'exhibitions soigneusement programmées sur les pistes en cendrée locales. En 1910, il bat le record de vitesse pure sur la plage de Daytona, au volant de la 200 HP Blitzen Benz, atteignant 211,267 km/h.

SIR ALFRED OWEN
1893-1975

L'industriel anglais Alfred Owen, sans être particulièrement attiré par la course automobile, fait preuve d'un comportement patriotique quand il soutient le projet British Racing Motors de Raymond Mays après la Seconde Guerre mondiale. Lorsque la première société BRM est liquidée, à la fin de 1952, Owen reprend l'affaire et transforme la fragile BRM V16 en une voiture viable. La confiance de sir Alfred dans le concept BRM est enfin récompensée lorsque Graham Hill remporte le championnat du monde des conducteurs 1962, avec la nouvelle BRM conçue par Tony Rudd.

RALPH DE PALMA
1883-1956

Ralph De Palma pilote sur les pistes en cendrée de la région de New York en 1908 et court sur Fiat dans le Grand Prix de Savannah la même année, où il termine neuvième. Il pilote une Simplex dans les premiers 500 Miles d'Indianapolis en 1911. L'année suivante, il mène la course du 3e au 198e tour, mais sa Mercedes Grand Prix casse. Avec son mécanicien, il pousse la voiture jusqu'à l'arrivée, qu'ils passent en onzième position. Il ne gagne les 500 Miles qu'une fois avec sa Mercedes Grand Prix « Gray Ghost », en 1915. De Palma remporte plus de 2 000 courses en vingt-cinq ans de carrière et bat le record du monde de vitesse sur terre à 240 km/h en 1919, avec une Packard V12 de 14,8 litres. Il pilote dans 3 Grands Prix de l'ACF, en 1912, 1914 et 1921, année où il arrive deuxième.

REG PARNELL
1911-1964

Le Britannique Reg Parnell commence à courir dans les années 30, mais ne connaît la notoriété qu'après 1945, quand il pilote des Maserati et des ERA avec un certain succès. Il gagne si souvent à Goodwood qu'il est surnommé « l'empereur de Goodwood ». Il pilote des voitures officielles chez Alfa Romeo et Aston Martin, puis apporte à BRM ses premières victoires en 1950. Il termine sa carrière en gagnant le Grand Prix de Nouvelle-Zélande 1957 et prend la direction du service course d'Aston Martin, auquel il apportera la victoire dans le championnat du monde des voitures de sport en 1959.

ROGER PENSKE

ROGER PENSKE
Né en 1937

Agé d'une vingtaine d'années, Penske est un talentueux pilote de voitures de sport. Il remporte le championnat américain classe D trois ans de suite à partir de 1961, avec la « Zerex Special ». Penske gagne à Laguna Seca et à Riverside Raceway en 1962. L'Américain remporte aussi la catégorie GT à Sebring l'année suivante, sur Ferrari. En 1964, Penske achète une affaire de négoce automobile à Philadelphie, première étape de la construction d'un empire commercial et industriel. En 1965, il commence ses activités de directeur d'équipe, et l'écurie Penske gagnera dix fois à Indianapolis. Les premiers succès sont dus au brillant ingénieur-pilote Mark Donohue, qui apporte le championnat CanAm et les 500 Miles en 1972. Penske aborde la Formule 1 en 1971, mais Donohue se tue aux essais du Grand Prix d'Autriche 1975. Il est remplacé par l'Irlandais John Watson, qui remporte la seule victoire d'une Penske au Grand Prix d'Autriche 1976. Penske se retire de la Formule 1 en 1977.

NELSON PIQUET
Né en 1952

Le Brésilien Nelson Piquet remporte le championnat britannique de Formule 3 en 1978 et entre chez Brabham en 1979, devenant son premier pilote quand Niki Lauda se retire. Il remporte le titre mondial pour Brabham en 1981 et 1983, puis rejoint Williams en 1986 et obtient son troisième titre en 1987. Un passage chez Lotus ne lui apporte rien et il entre chez Benetton en 1990, où il gagne encore 3 Grands Prix avant d'être écarté par l'arrivée de Michael Schumacher. Il quitte la F1 et s'intéresse à Indianapolis, puis prend sa retraite pour cause de blessure.

NELSON PIQUET

ALAIN PROST

ALAIN PROST
Né en 1955

Formé à l'école de pilotage du circuit Paul-Ricard, Alain Prost fait ses classes dans le karting, spécialité dont il est champion du monde en 1973, avant de passer à l'automobile. Il est champion de France en Formule Renault en 1976 et aborde la Formule 1 avec McLaren en 1980. Il passe chez Renault pour la saison suivante, remporte 3 Grands Prix et termine deuxième du championnat. Il revient chez McLaren en 1984 et remporte 3 titres mondiaux en 1985, 1986 et 1989, avant d'entrer pour deux ans chez Ferrari. Il passe la saison 1992 comme commentateur pour la chaîne de télévision TF1 et revient à la course en 1993, chez Williams. Il enlève son quatrième titre mondial et se retire en 1994 pour fonder son écurie.

DARIO RESTA
1882-1924

Né en Italie, « Dolly » Resta, naturalisé britannique, commence à courir à Brooklands en 1907 avec une Mercedes Grand Prix. Il termine deuxième dans la Coupe de l'Auto pour Sunbeam et bat des records du monde à Brooklands la même année, avec une Sunbeam 3 litres. Il part en Amérique en 1914 et remporte le Grand Prix et des épreuves de la Coupe Vanderbilt 1915 avec une Peugeot Grand Prix de 1913. Il gagne le Grand Prix et la Coupe Vanderbilt de nouveau en 1916, et finit deuxième des 500 Miles d'Indianapolis, devenant le seul champion national d'Amérique non américain. Il se retire de la course à la demande de son épouse, mais revient en Grande-Bretagne en 1923 et reprend la compétition, remportant le Grand Prix des voiturettes de Penya Rhin, en Espagne, avec une Talbot-Darracq. Il se tue au volant d'une Sunbeam à Brooklands en 1924.

DUC DE RICHMOND AND GORDON (FREDERICK, COMTE DE MARCH) 1904-1989

Frederick Charles Gordon-Lennox, neuvième duc de Richmond and Gordon, entre en apprentissage chez Bentley et commence à courir en 1929. En 1930, il remporte les 500 Miles de Brooklands avec Sammy Davis sur Austin Seven. Il gagne la course de Double-Twelve (2×12 heures) à Brooklands sur MG, puis se consacre à la direction d'une écurie et aux missions officielles à partir de 1932. Après la Seconde Guerre mondiale, il crée le circuit de Goodwood sur ses terres du Sussex.

JOCHEN RINDT
1942-1970

Le pilote autrichien Jochen Rindt domine en Formule 2 de fin 1966 à fin 1968, avant de passer à la Formule 1 avec une Lotus-Ford. Il remporte son premier Grand Prix en 1969 à Watkins Glen, dans l'État de New York. Au cours de la saison 1970, Rindt gagne à Monaco sur une Lotus 49, puis enchaîne 4 victoires en Grand Prix au volant de la révolutionnaire Gold Leaf Team Lotus 72 à forme en coin et prend la tête du championnat. Mais Rindt trouve la mort dans un accident lors des essais du Grand Prix d'Italie à Monza. C'est le seul pilote à avoir été sacré champion du monde à titre posthume.

PEDRO 1940-1971 ET RICARDO RODRIGUEZ 1942-1962

Fils d'un richissime entrepreneur mexicain, les frères Rodriguez pilotent des voitures rapides et des motos dès leur plus jeune âge. Pedro mène en course une Jaguar XK120 à l'âge de 15 ans et, à 17 ans, il pilote une Ferrari pour le North American Racing Team de Luigi Chinetti, à Sebring. Ricardo, déjà champion motocycliste du Mexique, est au volant d'une Porsche dans la même course. Les deux frères gagnent les 1 000 Kilomètres de Paris en 1961 et en 1962, avec des Ferrari. En 1960, Ricardo entre dans l'écurie Ferrari de F1. Ferrari ne dispute pas le Grand Prix du Mexique hors championnat, si bien que Ricardo pilote la Lotus-Climax de Rob Walker, avec laquelle il se tue. Pedro remporte de nombreuses victoires, y compris les 24 Heures du Mans 1968 avec la Ford GT40. Sa carrière en Formule 1 débute en 1967, quand il rejoint l'écurie Cooper. Il enlève le Grand Prix de Belgique pour BRM, mais trouve la mort dans une épreuve de Formule 2 en Allemagne.

JOCHEN RINDT

BERND ROSEMEYER
1909-1938

L'Auto Union de Grand Prix à moteur arrière est la seule voiture que le champion motocycliste allemand Bernd Rosemeyer ait jamais pilotée en course. Son expérience de motard l'aide beaucoup à maîtriser les trajectoires – difficiles à contrôler – des Auto Union. Après une spectaculaire deuxième place der-

BERND ROSEMEYER

rière le grand Rudi Caracciola à l'Eifelrennen 1935 au Nürburgring, sa première grande victoire survient dans le Grand Prix Masaryk 1935, à Brno, en Tchécoslovaquie. En 1936, il gagne l'Eifelrennen, 3 Grands Prix et la Coppa Acerbo, et devient champion d'Allemagne. L'année suivante, Rosemeyer se montre au sommet de son talent en repoussant les attaques des nouvelles Mercedes W125 pour gagner l'Eifelrennen, la Coupe Vanderbilt et le Grand Prix de Donington. En janvier 1938, il se tue dans un accident survenu à plus de 320 km/h alors qu'il effectue une tentative de record sur autoroute.

S

MICHAEL SCHUMACHER
Né en 1969

Deux fois champion du monde, Michael Schumacher, premier pilote allemand détenteur du titre, arrive en Formule 1 en 1991, après une brillante carrière en Formule 3. Il signe d'abord chez Jordan, mais, après une excellente course à Spa, en Belgique, il est recruté par Benetton. En 1992, sa voiture semble surclassée sur le papier par les Williams-Renault, mais il réussit à terminer parmi les trois premiers à huit reprises cette saison-là. Son titre de 1994 est acquis dans des circonstances controversées, surtout en raison de la collision qui, lors de la dernière épreuve de la saison, élimine son challenger principal, Damon Hill. Schumacher enlève aussi le titre en 1995, avec 9 victoires pour Benetton, désormais motorisé par Renault. Puis il passe chez Ferrari et, en 1996, lui apporte la deuxième place du championnat des constructeurs.

DICK SEAMAN
1913-1939

La carrière en course de Richard « Dick » John Beattie-Seaman commence avec le Grand Prix de Berne, en Suisse, qu'il remporte au volant d'une MG Magnette. Il a décidé de piloter professionnellement malgré l'opposition de son père. Il achète une MG Magnette à son ami Whitney Straight, riche amateur américain, et commence une carrière semi-professionnelle. Il s'engage au Grand Prix de Berne et gagne. Son acquisition suivante, une ERA 1,5 litre, se révèle peu fiable. Conseillé par un grand mécanicien de course, Giulio Ramponi, Seaman achète la Delage Grand Prix 1927 d'Earl Howe, qui, préparée par Ramponi, écrase les ERA plus modernes et remporte 4 courses sur 6 en 1936. Seaman gagne aussi le British Empire Trophy à Donington, sur Maserati, et le Grand Prix de Donington, sur Alfa Romeo. Seaman entre dans l'équipe Mer-

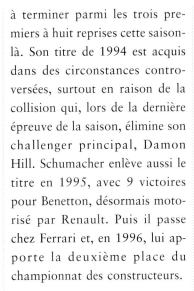

MICHAEL SCHUMACHER

DICK SEAMAN

cedes pour 1937. Son plus grand exploit reste sa victoire dans le Grand Prix d'Allemagne 1938, sur le circuit du Nürburgring. Il continue à courir pour la marque allemande en 1939. Alors qu'il se trouve en tête dans le Grand Prix de Belgique, à Spa, sa voiture dérape, puis heurte un arbre et prend alors feu. Le pilote est tué.

SIR HENRY SEGRAVE
1896-1930

Sir Henry Segrave est le premier pilote britannique gagnant d'un Grand Prix international, en France, en 1923. C'est aussi le premier homme qui dépasse 320 km/h sur terre au volant de l'énorme Sunbeam 1000 HP à Daytona, aux États-Unis, en 1927. En mars 1929, Segrave porte le record de vitesse sur terre à 372,46 km/h, avec la Golden-Arrow, à Daytona Beach. Segrave est anobli pour services rendus au prestige national, et ses exploits, pour la première fois en Grande-Bretagne, font de la course automobile un sport populaire. Segrave se tue alors qu'il se livre à une tentative de record de vitesse sur l'eau en 1930.

AYRTON SENNA
1960-1994

Le pilote brésilien Ayrton Senna commence le karting à l'âge exceptionnel de 4 ans. Au moment de son arrivée en Grande-Bretagne, en 1981, il a remporté 3 championnats de karting au Brésil, plus 2 championnats sud-américains. Il y ajoute le titre britannique en Formule Ford 1600 dès sa première saison. En 1982, il remporte les titres britannique et européen en Formule Ford 2000. La saison suivante, il gagne le championnat britannique de Formule 3. Il est recruté par l'écurie Toleman de Formule 1 en 1984 et termine neuvième au championnat du monde. Il passe alors chez Lotus pour 1985, accrochant 2 victoires et arrivant en quatrième position au championnat du monde. En 1988, il remporte le premier de ses trois titres mondiaux pour McLaren, avant de signer chez Williams-Renault pour 1994. Mais cette association virtuellement imbattable est prématurément rompue dès la troisième épreuve de la saison, le Grand Prix de Saint-Marin, à Imola, au cours duquel il s'écrase contre un muret et se tue. La mort de Senna met fin à une carrière exceptionnelle ; en effet il a gagné plus du quart des 161 Grands Prix qu'il a disputés.

WILBUR SHAW
1903-1954

Après trois saisons en dirt-track, l'Américain Wilbur Shaw pilote à Indianapolis pour la première fois en 1927 et termine quatrième. Il prend la deuxième place en 1933 et 1935, avant de gagner en 1937 avec une Gilmore-Offy de sa construction à la moyenne record de 180 km/h. Il gagne deux fois de suite, en 1939 et en 1940, avec sa Boyle Special, en fait une huit-cylindres 3 litres Maserati. Après la guerre, Shaw persuade Tony Hulman de reprendre l'Indianapolis Motor Speedway et en devient le président-directeur général jusqu'à sa mort, en 1954, dans un accident d'avion.

CARROLL SHELBY
Né en 1923

« Ol'shel » est un célèbre et talentueux pilote américain traditionnellement vêtu en course d'une salopette à rayures. Il rencontre John Wyer, d'Aston Martin, alors qu'il court avec une équipe cent pour cent américaine, une épreuve de 1 000 kilomètres en Argentine, en 1954. L'apogée de la carrière de Shelby se situe au moment de sa victoire aux 24 Heures du Mans 1959, au volant d'une Aston Martin DBR1/300, avec Roy Salvadori, unique succès de la marque dans la Sarthe. Il cesse ses activités de pilote pour se consacrer à son affaire de construction des AC Cobra à moteur Ford V8.

CARROLL SHELBY

JACKIE STEWART
Né en 1939

Les toutes premières apparitions de l'Écossais Jackie Stewart dans les épreuves pour voitures de sport révèlent ses talents naturels de pilote. Il passe très vite aux monoplaces, remportant toutes les courses, sauf deux de la saison de Formule 2 1964, à laquelle il participe avec la Cooper F3 BMC de Ken Tyrrell. Il est engagé par BRM en 1965 et décroche le Grand Prix d'Italie et le Silverstone International Trophy sur BRM V8. Il ne gagne qu'une course dans le championnat 1966, mais compense avec sa victoire dans le championnat de Tasmanie. A la fin de 1967, il passe de BRM à l'équipe Matra de Ken Tyrrell, après avoir brillé avec une

JACKIE STEWART

Matra-Ford en Formule 2. Stewart connaît alors deux saisons de succès. Il est deuxième du championnat en 1968 et, en 1969, conquiert le titre en Formule 1 au Grand Prix d'Italie, à Monza. Tyrrell essaie la nouvelle March en 1970, mais Stewart ne gagne que deux courses avec cette voiture avant que Tyrrell revienne à Matra. Il remporte le championnat pour Tyrrell en 1971 et 1973, puis il abandonne la course après avoir disputé son 99e Grand Prix, celui des États-Unis 1973, couru à Watkins Glen. En 1997, il revient à la Formule 1 à la tête de l'écurie Stewart-Ford, qu'il dirige avec son fils Paul.

JOHN SURTEES
Né en 1934

Le Britannique John Surtees reste le seul homme à avoir remporté les deux titres de champion du monde, en moto et en auto. Il commence à piloter sur quatre roues en 1959 et rejoint l'écurie Cooper de Formule 1 en 1961, prenant la deuxième place au Grand Prix d'Allemagne. En 1962, ses résultats avec une Lola de Formule 1 lui valent une place dans l'équipe officielle Ferrari en 1963 et en 1964, année où il remporte le titre mondial. Surtees participe aussi au développement de la Lola T70 CanAm sport-compétition. Il se remet tout juste d'un accident survenu avec une Ferrari 330P/3 quand il remporte les 1 000 Kilomètres du Nürburgring en 1965. Il passe les deux saisons suivantes à mettre au point les nouvelles voitures Honda de Grand Prix. Il passe chez BRM en 1969, puis fonde sa propre écurie, qui fonctionne jusqu'en 1978 et dans laquelle il pilote jusqu'à sa retraite, en 1972.

AYRTON SENNA

FERENC SZISZ
1873-1970

Un des rares Hongrois à s'être fait un nom dans le sport automobile, le mécanicien Ferenc Szisz devient pilote et remporte le Grand Prix de l'ACF 1906 pour Renault. Ce tout premier Grand Prix au monde se court sur deux journées,

FERENC SZISZ

pour un total de 1 240 kilomètres, et Szisz réalise une moyenne de 98,7 km/h, arrêts au stand compris. Il termine deuxième en 1907 et troisième en 1908. Il pilote une Alda dans le Grand Prix de l'ACF 1914, mais n'arrive que dix-septième et termine sa carrière quelques jours plus tard par une victoire au Circuit d'Anjou, avec une Lorraine-Dietrich de 12 litres.

T

RON TAURANAC
Né en 1925

Quoique né en Angleterre, Ron Tauranac grandit en Australie, où il commence à piloter en course avec une Ralt de Formule 3 qu'il a construite avec son frère et pilotée aux côtés de son ami Jack Brabham. Lorsque

Brabham vient en Angleterre pour fonder sa propre société, en 1961, il invite Tauranac à le rejoindre. Les deux hommes fondent Motor Racing Developments (MRD) et construisent les Brabham de compétition. Tauranac conçoit le châssis en treillis tubulaire de la Brabham 1962 et, par la suite, MRD reprend la gestion des activités de Brabham en Formule 1, Tauranac étant le concepteur des châssis. Ce dernier vend MRD à Bernie Ecclestone à la fin de 1971 et revient vers ses racines en compétition, en ressuscitant le nom de Ralt pour désigner une nouvelle série de voitures de Formule 2 et de Formule 3 très réussies.

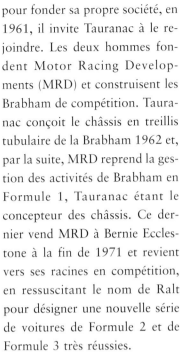

KEN TYRRELL

KEN TYRRELL
Né en 1927

L'Anglais Ken Tyrrell abandonne le pilotage en faveur de la direction d'écurie en 1958, gérant initialement une équipe de Cooper de Formule 2. Tyrrell passe à la Formule Junior et, en 1964, donne à Jackie Stewart sa première chance en Formule 3, quand il remporte le championnat. Tyrrell passe à la Formule 1 pour 1968, apportant les moteurs Ford-Cosworth DFV aux Matra MS10 qu'il engage. C'est une brillante décision, car Stewart finit deuxième du championnat du monde de Formule 1 en 1968, et remporte le titre mondial en 1969. Matra souhaite alors développer son propre moteur V12, si bien que Tyrrell commence l'étude de son propre châssis de Formule 1. Cette combinaison s'adjuge le championnat des constructeurs dès la première saison, en 1971. Innovant plus tard, la Tyrrell à six roues gagne le Grand Prix de Suède 1976. Au moment où Tyrrell se retire, dans les années 90, son écurie a disputé 416 Grands Prix et en a enlevé 23.

U

AL UNSER
Né en 1939
ET AL UNSER JUNIOR
Né en 1962

Quatre fois vainqueur des 500 Miles d'Indianapolis en 1970, 1971, 1978 et 1987, l'Américain Al Unser remporte aussi le championnat national américain en 1970, 1983 et 1985. Son fils, Al Unser Junior, gagne deux fois les 500 Miles et termine deuxième derrière son père dans l'Indycar 1985 – première fois qu'un père et son fils terminent un championnat dans cet ordre et avec un seul point d'écart. Al Junior remporte aussi les championnats CART 1990 et 1994.

AL UNSER

V

TONY VANDERVELL
1899-1967

Dans les années 20, encore jeune homme, le Britannique Tony Vandervell pilote une vieille Talbot et court à Brooklands. Après avoir quitté l'entreprise familiale d'électricité en 1926, Vandervell prend la représentation et la licence de fabrication des nouveaux coussinets minces « Thin Wall » qui viennent d'être inventés aux États-Unis, et monte une affaire florissante. Après la Seconde Guerre mondiale, il est brièvement impliqué dans le projet British Racing Motors avant de fonder sa propre écurie de course. Sa première voiture est une Ferrari 1,5 litre à compresseur de 1949, dont le moteur est équipé de coussinets Vandervell et qui est engagée sous le nom de « Thin Wall Special ». Au début des années 50, Vandervell commence à développer ses propres voitures de course Vanwall pour la nouvelle formule 2,5 litres. Avec Tony Brooks et Stirling Moss au volant, les Vanwall remportent le championnat du monde des constructeurs en 1958. Mais l'équipe doit être dissoute à la fin de la saison, en raison du mauvais état de santé de Vandervell.

ACHILLE VARZI
1904-1948

Achille Varzi mène un duel amical avec son collègue italien Tazio Nuvolari au cours des années 30. Ils commencent avec des Bugatti Type 35, puis passent aux Alfa Romeo. Varzi, au volant d'une Alfa Romeo 1750, est battu par Nuvolari dans la Mille Miglia 1930, mais il engage une Alfa P2

ACHILLE VARZI

modifiée pour la route à la Targa Florio 1930, et gagne. Il remporte aussi le championnat d'Italie en 1930, au volant de Maserati. Il ne gagne qu'un Grand Prix en 1931 à Montlhéry, avec une Bugatti 51, mais connaît une meilleure année en 1932, avec la Bugatti Type 54 de 4,9 litres. Il s'impose ainsi, après un duel mémorable avec l'Alfa Romeo de Nuvolari, dans le Grand Prix de Monaco. En 1934, Varzi pilote une Alfa Romeo et remporte 9 courses. Il gagne le Grand Prix de Tripoli 1936 sur Auto Union, mais perd celui d'Italie face à Nuvolari. Varzi se tue avec une Alfa 158 aux essais du Grand Prix de Suisse 1948.

GILLES VILLENEUVE
1950-1982

Le Québécois Gilles Villeneuve est un pilote titré dans les séries de la Formule Atlantic avant son arrivée en Formule 1 et sa première course, le Grand Prix de Grande-Bretagne 1977. En 1978, Ferrari l'engage pour rem-

placer Niki Lauda, et sa première victoire en Grand Prix est obtenue dans son pays natal, au Grand Prix du Canada cette année-là. Il termine deuxième du championnat du monde en 1979, derrière son coéquipier Jody Scheckter. Il connaît alors deux années difficiles dans des voitures dépassées. En 1982, au Grand Prix de Saint-Marin, il termine deuxième derrière son coéquipier Didier Pironi, qui le dépasse dans le dernier tour. Les ordres de Ferrari avaient été de maintenir les positions, et Villeneuve est furieux. Lors du Grand Prix suivant, en Belgique, Villeneuve, qui tente de battre les temps de Pironi aux essais, a un accident et se tue.

JACQUES VILLENEUVE
Né en 1971

Après avoir affirmé ses talents de pilote dans les Formules 3 italienne et japonaise, le fils de Gilles Villeneuve, Jacques, devient le plus jeune des champions américains en 1994. Il gagne même les

GILLES VILLENEUVE

500 Miles d'Indianapolis en 1995. Il est pilote-essayeur chez Williams en 1995, et, pour sa première saison en Formule 1, en 1996, il remporte 4 Grands Prix, pour finir deuxième du championnat du monde. Il obtient 7 victoires en Grand Prix l'année suivante et empoche le titre mondial 1997, apportant aussi le titre constructeurs à Williams pour la deuxième année consécutive.

W

ROB WALKER
Né en 1917

L'Anglais Rob Walker assiste à l'âge de 7 ans au Grand Prix de Boulogne pour voitures de sport et est fasciné par la course automobile. Étudiant à l'université de Cambridge, il achète la Delahaye 135 ayant appartenu au prince Bira. Avant la Seconde Guerre mondiale, il court avec cette voiture à Brooklands et au Mans. Il pilote ensuite des monoplaces Delage et Connaught, avant de devenir propriétaire et directeur d'écurie. En 1958, Stirling Moss pilote la Cooper-Climax de Walker et remporte la première victoire en Grand Prix d'une voiture à moteur arrière

dans le championnat moderne. C'est aussi la première victoire d'une écurie privée. L'année suivante, à Monaco, Moss signe la première victoire d'une Lotus en Grand Prix, avec la Lotus 18 de Walker. Après la retraite de Moss, en 1962, Walker emploie une succession de grands pilotes, comme Maurice Trintignant, Ricardo Rodriguez, Jo Bonnier et « Seppi » Siffert. Ce dernier signe alors l'ultime victoire en Grand Prix de l'écurie Walker, lors du Grand Prix de Grande-Bretagne 1968, dernière victoire en Formule 1 d'une écurie financée individuellement par une personne privée.

ROB WALKER ET JO BONNIER

FRANK WILLIAMS
Né en 1942

Le Britannique Frank Williams débute dans le négoce de voitures de course en 1967. En 1968, il engage une voiture de Formule 2 pour le pilote Piers Courage. L'année suivante, Williams fait courir Courage en Formule 1 avec une Brabham. Il remporte les Grands Prix de Monaco et des États-Unis. Mais Courage se tue à Zandvoort en 1970. Pendant quelque temps, Williams entretient son équipe avec un très petit budget. La première Williams est construite en 1972, mais la première vraie victoire arrive en 1979, avec la Williams FW09.

FRANK WILLIAMS

Clay Regazzoni s'impose avec elle au Grand Prix de Grande-Bretagne, à Silverstone. Puis Williams remporte le championnat du monde des constructeurs en 1980 et 1981. Frank Williams est victime d'un accident de la route en 1986, qui le laisse paralysé, mais son écurie s'adjuge le championnat des constructeurs cette année-là et la suivante. Dans les années 90, Williams remporte cinq fois ce titre mondial. Des champions comme Nelson Piquet, Nigel Mansell, Alain Prost, Ayrton Senna et Damon Hill ont été des pilotes de l'écurie.

JEAN-PIERRE WIMILLE
1908-1949

La carrière du pilote français Jean-Pierre Wimille débute au volant d'une Bugatti 37A au Grand Prix de l'ACF à Pau. Il signe sa première victoire importante au Grand Prix d'Oran, en Algérie, en 1932. Il remporte le Grand Prix de l'ACF 1936 couru en catégorie sport, à Montlhéry, au volant d'une Bugatti 57G carrossée en « tank ». Il gagne les 24 Heures du Mans en 1937 et 1939, toujours avec une Bugatti 57G. Après la guerre, il pilote une Alfa Romeo et s'impose souvent de

1946 à 1948. En début de saison 1949, il part en Argentine avec une Simca-Gordini, mais se tue aux essais du Grand Prix de Buenos Aires, par la faute de spectateurs imprudents.

JOHN WYER
1909-1989

L'Anglais John Wyer commence sa carrière comme apprenti chez Sunbeam dans les années 20. Après la Seconde Guerre mondiale, il est directeur général de Monaco Motors, où il prépare les trois HRG allégées pour les 24 Heures du Mans et de Spa 1949. En 1950, il rejoint Aston Martin comme directeur sportif et couronne sa carrière avec la victoire au Mans en 1959. En 1963, il passe chez Ford et obtient deux succès au Mans pour les GT40 en 1966 et 1967. Ford désengage les GT40 de la compétition, et JW Automotive, dirigé par John Wyer et John Willment, reprend le projet. Deux autres victoires au Mans sont obtenues avec les Ford, puis JW fait alliance avec Porsche pour créer l'écurie Gulf-Porsche. La Gulf-Mirage à moteur Cosworth 3 litres est le chant du cygne de Wyer.

COMTE LOUIS ZBOROWSKI
1895-1924

Le comte Louis Zborowski, Américano-Polonais né en Angleterre, possède un domaine à Higham, dans le Kent, et construit une série de voitures de course à moteur d'avion qui prennent le nom de « Chitty-Chitty-Bang-Bang ». La première, dotée d'un moteur Maybach six cylindres de 23 litres, gagne sa première course à Brooklands à plus de 160 km/h de moyenne. Elle est utilisée avec succès pendant deux autres saisons, puis est remplacée par une version de tourisme à moteur Benz de 18,9 litres. Chitty III commence sous la forme d'une Mercedes Targa Florio de 7,4 litres, avant de recevoir un moteur d'avion Mercedes de 14,7 litres. Comme son père, mort en 1903 au volant d'une Mercedes, Louis Zborowski se tue en course à Monza, en pilotant une Mercedes 2 litres.

LE COMTE LOUIS ZBOROWSKI AVEC SAMMY DAVIS

Glossaire

ACCOUPLEMENT
Liaison mécanique démontable
entre deux éléments tournants
permettant parfois un certain
degré de désalignement.

ACTIVE (SUSPENSION)
Système de suspension qui réagit
aux variations de poids ou à l'état
de la route afin de maintenir
une tenue de route et une garde
au sol optimales.

AÉROFOIL (OU AILE)
Plan de profil aérodynamique
qui génère une portance quand
il se déplace dans l'air.

**AÉRONAUTIQUE
(MOTEUR)**
Moteur de forte cylindrée conçu à
l'origine pour les avions.

AMORTISSEUR
Dispositif de freinage
des oscillations périodiques dues
à l'élasticité de certains organes
(éléments de suspension,
de direction, en rotation, etc.).

ANTIROULIS (BARRE)
Élément de suspension fait d'une
barre de torsion articulée sur
le châssis et les essieux, destinée
à limiter l'inclinaison ou dévers
du véhicule en virage.

ARBRE À CAMES
Arbre tournant portant des lobes
excentrés qui commandent
les mouvements alternatifs
des soupapes.

BARRE DE DIRECTION
Barre articulée reliant la bielle
pendante à un levier de roue
ou à un relais de direction.

BIELLE PENDANTE
Levier oscillant reliant le boîtier de
direction à la barre de direction.

BRAS DE GUIDAGE
Barre articulée sur le châssis et les
essieux ou les roues pour guider
les mouvements des roues
en réduisant les braquages
indésirables. Bras tiré : en
avant des roues. Bras poussé :
en arrière des roues.

CARBURATEUR
Appareil qui mélange l'air et
le carburant dans des proportions
adéquates. Système remplacé
par l'injection.

CARÉNAGE
Structure généralement en tôle
destinée à canaliser un flux
d'air, d'eau ou d'huile selon
une direction donnée.

CHAÎNE
Système de transmission
dans lequel les roues arrière sont
solidaires de pignons entraînés par
des chaînes prenant elles-mêmes
leur mouvement sur d'autres
pignons calés sur les arbres
de sortie du différentiel.

CHÂSSIS
Structure de base d'un véhicule
portant les organes mécaniques
et la carrosserie, à l'origine
en bois renforcé de goussets
en acier, traditionnellement
constituée par un cadre formé en
tôle emboutie en U ou caissonnée,
en tubes simples ou en treillis
tubulaire plus complexe, parfois
en aluminium ou en fibre
de carbone. De nos jours,
les châssis des voitures de course
sont des structures complexes de
type monocoque dans lesquelles
des parties externes (fond, flancs)
jouent un rôle structurel.

CHICANE
Virage artificiel en S créé par
des obstacles rapportés afin
de réduire les vitesses pour
des raisons de sécurité.

COMPRESSEUR
Appareil entraîné positivement
destiné à forcer l'air dans
le moteur. Il en existe trois types
de base : le type à palettes
coulissantes, mises en rotation
par un axe excentré, qui
compriment l'air contre le corps
du compresseur ; le type Roots
à rotors à lobes engrenés
sans contact et comprimant l'air
entre leurs lobes ; le type
centrifuge à rotor à ailettes
tournant à très haut régime.

**CORRECTEUR
D'ASSIETTE**
Système servant à modifier
ou maintenir la garde au sol
d'une voiture pour obtenir
un comportement dynamique
optimal.

COUSSINET MINCE
Garniture de palier antifriction
de faible épaisseur placée entre
deux surfaces tournantes, apparue
dans les années 20 et assurant
une meilleure évacuation de la
chaleur en réduisant le risque
de grippage ou de coulage
à haut régime.

CRABOT (OU CLABOT)
Accouplement mécanique de
deux pièces tournantes au moyen
de dentures faciales.

CULBUTEURS
Petits leviers en acier inversant
le mouvement des tiges actionnées
par l'arbre à cames pour ouvrir
les soupapes.

DAMPER
Amortisseur freinant
des mouvements périodiques
entretenus d'éléments de
suspension ou d'organes rotatifs.

DEMI-ARBRES
Système de transmission à des
roues indépendantes par arbres
oscillants en sortie de différentiel.

DFV
Pour « Double Four-Valve »
(litt. double quatre-soupapes),
désignation officielle du moteur
Ford-Cosworth de Grand Prix.

ÉCHAPPEMENT
Système de canalisations évacuant
les gaz brûlés du moteur.

La longueur des tubes peut
être « accordée » comme
un instrument de musique, afin
d'accélérer la vitesse des gaz par
effet vibratoire et d'améliorer
le rendement du moteur.

ÉCHELLE (CHÂSSIS EN)
Cadre de châssis classique fait
de deux longerons principaux
parallèles reliés par des traverses
perpendiculaires.

EFFET DE SOL
Utilisation des phénomènes
aérodynamiques créés entre
le véhicule et le sol pour générer
une déportance, ou appui,
susceptible d'augmenter
l'adhérence et les vitesses
en courbe.

ERA
« English Racing Automobiles »,
marque de voitures de course
très efficaces courant en catégorie
voiturettes dans les années 30.

FREINS
Système retardateur agissant
sur les roues ou, concernant les
anciennes voitures, sur l'arbre
de transmission et constitué
de tambours solidaires des roues
sur lesquels viennent serrer des
segments intérieurs ou extérieurs
garnis d'un matériau de friction.
Les freins modernes sont
constitués de disques solidaires
des roues et pincés par des
plaquettes frottantes, disques
en fonte ou en carbone, plus
résistants à la chaleur dégagée.

HP
Pour « horse power » ou cheval-
vapeur. Désigne, selon
les époques, une puissance réelle
(hp ou ch selon les pays) et/ou
une puissance fiscale (HP),
voire une appellation commerciale
conventionnelle.

INJECTION
Système d'alimentation
en carburant introduit sous
pression selon des quantités

très précisément dosées mécaniquement ou bien électroniquement en fonction de paramètres préétablis.

JUPES (LATÉRALES)
Élément aérodynamique (interdit aujourd'hui) obturant l'espace entre le fond de coque et le sol, et destiné à générer un appui maximal.

KEVLAR
Nom commercial d'une fibre de carbone utilisée sous forme de tissu dans la construction de châssis monocoques.

LATÉRAL (MOTEUR)
Moteur dont les soupapes sont placées à côté des cylindres dans le bloc.

LONGERONS
Poutres en tôle emboutie en U ou caissonnés ou tubulaires formant les deux éléments principaux longitudinaux du châssis en échelle.

MAIN DE RESSORT
Extension du longeron de châssis recevant la pièce d'articulation du ressort de suspension.

MALITE
Matériau fait d'une feuille de balsa collée entre deux feuilles d'aluminium.

MONOCOQUE
Type de structure unitaire creuse et légère dont les parois assurent la rigidité, comme une coque ou une coquille.

MONOPOSTO
Terme italien désignant une monoplace.

MOTRICITÉ (CONTRÔLE DE)
Ou système antipatinage. Méthode ayant pour but de contrôler la valeur du couple transmis aux roues motrices afin d'éviter les pertes d'adhérence par patinage sur une surface glissante.

NACA (PRISE)
Forme spéciale de prise d'air définie par la NACA (administration de l'aviation américaine) et appliquée aux automobiles, consistant à forcer une couche d'air dans une ouverture de section décroissante calculée.

NART
Pour North American Racing Team, écurie dirigée par Luigi Chinetti, importateur Ferrari aux États-Unis.

PARE-PIERRES
Écran de grillage placé devant le radiateur ou les projecteurs pour arrêter les projections de cailloux. Indispensable sur les routes non revêtues en dur.

PLÉNUM
Chambre de tranquillisation de l'air aspiré avant son admission dans les conduits d'injection.

POUTRE EN TREILLIS
Membrure robuste et légère faite de deux tubes parallèles reliés par des entretoises croisillonnées soudées.

RAJO (CULASSE)
Type de culasse à soupapes en tête adaptable aux moteurs Ford Model T pour en augmenter la puissance.

RESSORT À LAMES
Ancien système de suspension fait de lames d'acier élastiques superposées.

SANS SOUPAPES (MOTEUR)
Type de moteur dans lequel les clapets sont remplacés par des fourreaux qui coulissent contre les parois des cylindres en découvrant des ouvertures, ou lumières, pour l'admission et l'échappement des gaz. Cette solution a été abandonnée aujourd'hui.

SERVO
Terme désignant un dispositif servant à réduire l'effort musculaire à appliquer à un système de commande (direction, freins, etc.).

SOUPAPES
Clapets à mouvement alternatif réglant l'entrée et la sortie des gaz dans le moteur. Les soupapes à tulipe ou champignons sont les plus employées.

SPIDER
Désigne à l'origine un petit siège d'appoint à piétement en fer rappelant une araignée, puis un siège aménagé dans le coffre arrière. Par extension, désigne une voiture de sport légère à deux places sommairement équipée en matière de confort. S'écrit parfois spyder dans le cas de certains modèles de voitures italiennes.

STOCK-CAR
Voiture de production ou de grande série.

SURALIMENTATION
Procédé consistant à « gaver » le moteur de mélange carburé fourni sous pression pour augmenter la puissance.

SUSPENSION
Système élastique interposé entre le véhicule et les roues pour réduire les chocs et maintenir les roues au sol.

TIGE
Désigne les queues de soupape ou les tringles actionnant les culbuteurs dans le cas de soupapes en tête (moteur culbuté).

TORPÉDO
Forme de carrosserie aérodynamique élémentaire à flancs lisses et continus de l'auvent à l'arrière. Le terme désigne couramment, entre 1910 et 1935, une automobile

décapotable aux formes élancées sans glaces latérales.

TORSION (BARRE DE)
Tige élastique fixée à une extrémité et libre d'osciller à l'autre, faisant fonction de ressort antagoniste au mouvement sollicitant.

TRANSAXLE
Terme désignant la combinaison de la boîte de vitesses et de la transmission finale à différentiel, souvent associée à un essieu De Dion.

TRANSMISSION
Ensemble des divers organes transmettant le couple moteur aux roues motrices.

TREILLIS
Structure rigide faite de petits tubes soudés triangulés ou croisillonnés.

TRIANGULÉ (BRAS)
Élément de suspension oscillant, généralement de forme triangulaire, articulé sur le châssis et contrôlant les débattements des roues.

TURBOCOMPRESSEUR
Appareil centrifuge forçant l'air sous pression à l'admission et entraîné par les gaz d'échappement à la sortie du moteur.

VENTURI
Section de canalisation rétrécie dont le profil accélère la vitesse des gaz.

VOITURETTE
Catégorie de voiture de course de petite cylindrée, ancêtre des Formules 2 et 3.

ZF
Abréviation de « Zahnrad Fabrik », firme allemande spécialisée dans les boîtes de vitesses.

Index

Les caractères en **gras** renvoient aux textes principaux, et ceux en *italique* aux illustrations

Crédits photos

Photographes
Gary Ombler, Richard Shellabear, Steve Gorton, Tom Wood, Dave Rudkin, Dave King, Matthew Ward

Photos des voitures à Indianapolis des pages 52-53, 70-71, 92-93, 122-123 © 1998 Indianapolis Motor Speedway Foundation.
Tous droits réservés.

L'éditeur remercie les personnes et les organismes suivants pour leur autorisation de reproduire les photographies mentionnées

h= haut, ; c= centre ; b = bas ; g= gauche ; d= droite

Allsport : David Taylor 129 cdb, Steve Swope 23 hd, Vincent Laforet 128 hd, 129 ch, 129 hd ; Automobile Quarterly : 30 cgb, 30 bg, 30-31 bc, 31 cdb, 31 hd, 31 hg, 35 cd, 46 hg ; Henry Ford Museum 100 hd, 100 bg, 101 hd ; Vincente Alverez/Bruce Craig Racing Photos 13 hc ; Bridgeman Art Library : John Noott Galleries, Broadway, Worcs. 42 bg ; Michelin Building, Londres 12 hc, 37 hg ; © Brooklands Museum 42 cg, 42 hd, 42-43 bc, 43 ch, 43 hg ; Neill Bruce Motoring Photolibrary : 36 hd, 50 bc, 51 hd, 54 hd, 55 cd, 61 hd, 63 cdh, 74-75 c, 74 bg, 75 cdh, 75 cd, 75 cdb, 78 hd, 82 cgb, 88 hd, 96 bg, 106 cg, 121 cb, 133 bd ; Aimable autorisation de Brooks Auctioneers 82 cdb ; Collection Peter Roberts 8-9, 16 bc, 17 cdb, 19 hd, 31 cdh, 36-37 cb, 36 bg, 37 cdh, 37 bd, 61 hg, 100 cg ; Bruce Craig Photos : 68 hg, 68-69 c, 68 cgb, 68 bd, 69 cgb, 85 bd, 85 cdb, 85 cdh ; David Burgess-Wise : 28 hg, 30 hg, 39 hg, 43 cd, 69 bd, 69 hg, 72 bg, 73 bc, 101 cdh ; Jean-Loup Charmet : 14 cgb, 38 hg ; Collector's Car Books : BRSCC 102 ; Corbis UK Ltd : 34 cg, 34-35 cb, 35 hg ; Bettmann/Agence France Presse 139 cd ; Bettmann/Baldwin H. Ward 34 hd ; Hulton Getty 82 hd ; George Lepp 96 cg ; Reuters/Bettmann 22 hc, 132 hd, UPI 18 bc, 85 cb,

UPI/Bettmann 160 bd ; Coys Archives Ltd, Londres : 6, 40, 60 hg ; Automobile-Club de Monaco 86 ; Dexter Brown 126, 130 hg ; Greg Crisp : 134 bg, 134 cgh, 134 hd, 134-135, 134 bd, 135 bc, 135 cdb, 135 cdh ; Daimler-Benz AG : 62-63 c, 62 hcd ; Daytona Racing Archives : 112-113 c, 112-113 bc, 112 hg, 112 hd, 113 bc, 113 cdh, 113 hd, 113 hg, 113 cdb, 135 hd, 135 hg ; Dove Publishing : Automobile Club di Milano 88 hg ; British Automobile Racing Club 78 hg ; Koninklijke Nederlansche Automobiel Club 98 hg ; RAC 104 hg ; Agence DPPI : 108 hd, 109 hd, 109 cdh, 110 bcd ; E.T. Archive : Museum für Gestaltung, Zurich 66 ; V & A 26, 42 hg ; Ford Motor Company Ltd : 20 bd, 101 cb ; Hulton Getty : 32 hd, 34 hg, 35 hd, 44 hd, 61 cd, 72-73 c, 73 hd, 130-131 c, 131 cd ; Empics Ltd 138-139 cb, 138 hg, 139 hcg ; © Indianapolis Motor Speedway : 52 hd, 70 bd, 84-85, 84 ch, 84 hg, 85 hd, 92 hd, 100 bd, 114, 122 hd, 128-129, 128 hg, 128 ch, 140-141 ; Elwood Simmons 129 hg ; Collection Jim Haines 68 hd, 69 hc, 69 cdh, 129 cdh ; LAT Photographic : 24-25, 73 hg, 76 hd, 82 cgh, 97 hg, 97 bc, 98 bg, 104 cg, 104 bc, 104 hd, 104-105, 105 hg, 105 hc, 105 bd, 105 hd, 106 hd, 108 bg, 108-109, 108 cb, 108 cg, 109 cdb, 109 hg, 109 hc, 110 cgh, 116 hg, 116 hd, 116 cg, 116 bg, 116-117, 117 hg, 117 cdh, 117 ch, 117 bd, 117 bg, 118 hd, 120-121 c, 120 bcg, 120 hd, 121 hg, 121 cdh, 124 bg, 124 hg, 124 hd, 124 cg, 124-125 cb, 125 ch, 125 cd, 125 cdb, 125 hg, 130 cgb, 130 hd, 131 hd, 131 bc, 131 ch, 131 hg, 136 hd, 138 bg, 138 hd, 139 cdh, 139 hd, 139 cdb, 157 bcg ; Ludvigsen Library : 28-29 c, 36 cgb, 37 c, 72 hd, 80 hd ; Midsummer Book Ltd : 76 cg, 76-77 bc, 77 hcg, 77 cgh, 77 cdh ; National Motor Museum : 5 hg, 10 c, 11 hd, 11 bc, 15 hd, 16 hc, 28 cg, 28 hd, 29 cd, 29 hd, 29 hg, 30 hd, 36 hg, 38 hcd, 38 bg, 38 cg, 38-39 c, 39 hd, 39 bd, 46 bd, 46 cg, 46-47 c, 47 hg,

47 hd, 48-49 cd, 48 bd, 48 cg, 48 hg, 48 hd, 48 cgb, 49 hd, 49 bd, 49 hg, 50 hd, 54 bg, 54 cg, 54-55 c, 55 hc, 55 hd, 55 bd, 58 bd, 58 hd, 58 bg, 58 cg, 59 bg, 59 hc, 59 hd, 60 bd, 60 bg, 60 hd, 60-61 c, 62 bd, 62 bg, 62 cgb, 63 hg, 64 hd, 64 bg, 64-65 bc, 64 hg, 65 cgh, 65 hd, 74 cgb, 78 bd, 78-79 c, 78 cg, 79 hg, 79 bd, 83 hg, 83 hd, 83 cdh, 88-89 c, 88 cg, 89 hd, 89 hg, 90 cgb, 90-91 cb, 90 hd, 91 cd, 91 hd, 91 hg, 91 cdb, 94-95, 94 hd, 95 cdb, 95 hc, 95 c, 95 cdh, 95 hcg, 96 hd, 96-97 c, 97 hd, 98 cg, 98 hd, 99 hg, 99 hd, 99 cd, 101 hg, 106-107 bc, 120 cg, 121 bg, 133 hcg, 142 bcd, 142 cg, 142 hcg, 143 hd, 143 bd, 143 hg, 143 bg, 144 bcd, 144 cgb, 145 hg, 145 hd, 145 bd, 145 bcg, 146 bg, 146 hd, 147 bd, 147 hcd, 148 bg, 148 cgb, 148 hcd, 148 bd, 149 cg, 149 hd, 149 bd, 150 hg, 150 bcg, 150 bd, 151 hcd, 151 cg, 151 bg, 152 hd, 152 cg, 152 cgh, 153 bcd, 153 hc, 153 cgb, 154 cdb, 154 bg, 155 bd, 155 hg, 155 hcd, 156 bg, 156 hg, 157 cgh, 157 hd, 158 hcd, 158 bg, 158 bcd, 159 cgh, 159 bd, 159 cdb, 160 hcg, 161 cg, 161 bd, 161hcg ; © Automobile-Club de Monaco 90 hg ; Automobile-Club de l'Ouest 20 cgb, 94 hg ; Pook's Motor Bookshop : V.F1.Zolder/Royal Automobile-Club de Belgique 108 hg ; Porsche AG : 110 hd, 111 hg ; Jacques Potherat : 50 cg, 50 hg, 50-51 c, 51 hg, 51 cdh ; Quadrant Picture Library : 72 bcd, 74 cdb, 74 hcd, 75 hg, Autocar 78 cgb ; William Taylor : 97 cdh ; Temple Press Ltd : 72 hg ; Topham Picturepoint : 22-23 bc, 28 bg, 34 bg, 69 cdb, 72 cg, 83 cdb, 94 cgb, 98-99 cb, 121 hd, 127 bc, 132 bg, 132 cg, 133 hd.

Jaquette

David Burgess-Wise : deuxième rabat ; LAT Photographic : première bc ; Jeff Bloxham première hg ; National Motor Museum : premier rabat, quatrième cb.